누구나 강사
격이 다른 강사

일러두기 책 속에 삽입된 모든 그림 이미지는 저자 본인의 실제 강의 중 사용하는 강의자료임을 밝힙니다. 출처 표기가 필요한 경우 삽입 장표 하단에 별도 표기하였습니다.

누구나 강사
격이 다른 강사

전문강사도 몰래 꺼내 보는

강사 업력 향상 필독서

인생다모작연구소

이진서지음

프롤로그

강의라는 일,
강사의 매력?

강의라는 일을 굳이 나쁘게 표현하면 '시간제 품삯일'이다. 이 책을 동종 업계에서 일하시는 분들이 볼 텐데 시작부터 불편한 용어를 써서 죄송하다. 강사라는 업의 본질을 평가 절하하려는 것이 아니다. 직업의 귀천이 없을진대, 누가 강사라는 직업을 '품삯일'이라며 하찮다고 평할 수 있겠는가. 단지 대중 앞에서 강의하는 강사라는 일 자체의 진입장벽이 낮아졌음을 말하고 싶어서 품삯일이라는 다소 불편한 단어를 끄집어냈다. 지금 시대에 강의는 누구나 할 수 있다. 지금 시대엔 누구라도 키보드만으로 책을 쓰는 작가도 되고, 말로 대중 앞에 서는 강사도 된다. 강사라면 굳이 강단이 아니어도 좋다. 디지털 전환 시대에 온라인 세상은 그 모든 것을 가능하게 한다. 유튜브든 온라인 VOD 클래스를 판매하는 재능마켓 플랫폼이든 어디든 가능하다. 강사 혹은 강의의 진입장벽이 낮아져서 강의 내용의 질적 수준이 떨어졌다는 평도 있다. 강의 업계도 양극화가 심해진다고 말한다. 그러거나 말거나 우선 나조차 강사가 되었으니 저품질 강의 양산에 한몫했지만, 누구에게는 강의라는 일이 본인 인생에 또 한 번의 기회다. 생각해 보시라, 지금 같은 신자본주의 시대에 가진 자본이나 별다른 인맥이 없어도 인생 회춘할 방법이 옛날 같으면 있었는지. 지금 시대는 다르다. 바야흐로 개인의 시대다. 나만 올바른 철학과 지식과 통찰로 준비하고 있으면 어느 순간 기회의 소나기를 맞을 수 있다. 이미 존재하는 콘텐츠를 자신의 방식대로 잘 편집하고 나름의 통찰을 더하여 청중에게 효과적으로 전달하는 능력이 곧 강사의 역량이다. 과거 김정운 교수가 [에디톨로지(Editology)]라는 신조어를 들고나왔을 때 나는 '그래 이거지' 하며 무릎을 쳤다. 이제 강사라는 직업은 특정 전문인만의 영역이 아니다. 콘텐츠 편집 능력과 약간의 전달 능력만 있으면 별 자본 없이 진입하여 누구라도 성공할 수 있다. 행여 실패하더라도 별로 잃을 것도 없는 매력적인 직업이 강사다.

이 지점에서 강사가 되고 강의를 하려는 사람이 알아야 할 점이 있다. 강의라는 일 자체는 모든 직업이 그렇듯 그것만의 특수성이 있다. 강사는 해답지 없이 수학 문제를 풀어야 하는 내부 고충이 있다. 수강생은 그날 본인 기대에 만족할 만한 강의가 아니었다면 강의 만족도 조사지에 누구도 모르게 강사에게 혹평을 한다. 형편없는 강의였음에도 선천적으로 선한 우리나라 사람 성향상 좋은 게 좋은 것이라며 무심히 좋은 평가를 주는 선량한 교육생도 있는 반면, 무기명 강의 만족도 평가지에 일순간 '키보드 워리어(keyboard warrior)'가 되어 해당 강사에게 별점 테러를 가하는 수강생도 많다. 강사가 그날 형편없는 강의를 했다면 응당 혹평받는 것은 정당하다. 하지만 수강생으로부터 받은 부정적 평가를 강사는 강의 주최 측으로부터 피드백을 대체로 받지 못한다. 타인을 배려하는 유교문화의 잔재 때문일까, 역시 좋은 것이 좋은 것이라는 인식 때문이다. 강의 만족도 평가지에 적힌 혹평을 강의 주관자가 강사에게 향후 이런저런 점은 개선해달라며 말하기는 그들로서 쉬운 일이 아니다. 강의실에서 서로 웃으며 좋은 분위기에서 헤어지면 그만이다. 그런 강사에게 다음(next call)은 없다. 도처에 다른 강사가 넘쳐나기 때문이다. 같은 수요처에서 매번 비슷한 내용의 강의 프로그램을 반복적으로 진행하는 경우, 강사인 내가 그곳으로부터 다시 부름을 받지 못하는 사실을 뒤늦게라도 알았다면 나의 강의력에 빨간불이 들어왔다고 스스로 인정해야 한다. 강사는 이후 강의 만족도를 올릴 개선책을 찾아야 한다. 이런 기본 원리를 모르면 매해 강사의 수입은 소리소문없이 줄어들게 마련이다. 재차 부름을 받지 못하는 강사에게 긍정적 미래가 있을 수 없다. 지금 한번 뒤를 돌아보자. 현직 강사로서 나의 연봉이 매년 늘고 있는지 줄어들고 있는지. 이 책은 강단에 선 강사에게 수학 문제집의 해답지와 같은 역할을 할 수 있다고 자부한다. 적어도 강단에서 내가 푸는 수학 문제가 맞는지 틀렸는지 정답과 해법을 이 책을 통해 안다면 이만큼 가성비 높은 투자도 없다.

수많은 강의 현장에서 나는 여러 강사를 만난다. 각 수요처에서 해마다 비슷한 시기에 비슷한 주제로 수일간 이어지는 강의 프로그램 중 한 부분을 맡을 때가 있다. 그때마다 내가 유심히 보는 건 강사진 구성이다. 작년에 봤던 강사를 해가 바뀌어 그 자리에서 다시 만나는 경우도 있지만, 새로운 이름의 강사도 자주 목도한다. 해당 강사 개인 일정 문제로 이번엔 강의를 맡지 못했거니 생각하지만, 한편으로는 교체된 강사가 당시 수학 문제를 제대로 못 풀었구나 하는 짐작도 든다. 이런 상황이 강사의 숙명이다. 중요한 건 다시 부름을 받지 못한 강사가 이런 사실을 제대로 인지하지 못했다면 비슷한 자리에 다시 설 기회가 없는 안타까운 상황이 발생한다. 이것은 강사로서 나 자신의 문제이기도 하다. 경험상 강사 섭외는 강의 수요처 담당자와의 인정(人情)보다 전적으로 강의 능력 여부로 결정된다.

취미로 즐기는 장기나 바둑 혹은 당구나 골프를 한번 생각해 보자. 이것들의 기력 혹은 구력은 숫자로 명확히 나타난다. 장기나 바둑은 몇 급 혹은 몇 단, 당구는 200점 300점 따위의 점수 그리고 골프는 80타나 90타 등 타(打)수로 실력을 가늠한다. 장기나 바둑을 평생 두어도 아마추어 하수에 머물고, 당구도 평생 150점이나 200점 언저리에서 벗어나지 못하는 사람이 많다. 골프 역시 마찬가지다. 많이 두어 보고 쳐보고 필드에 나가면 곧 실력이 늘 수 있다고 착각한다. 반복은 실력 향상의 필요조건이지만, 그것만으로는 부족하다. 충분조건은 아니다. 결국 말콤 글래드웰(Malcolm Gladwell)이 말한 1만 시간의 법칙은 반만 맞고 반은 틀린 말이다. 이전에 했던 잘못된 방식으로, 혹은 습관에 의해서 질적인 변화 없이 단순 반복만 한다면 평생 그 자리에 머물 수밖에 없다.

실력 향상을 위해서는 먼저 자신의 현 위치를 인정해야 한다. 이후 전문가로부터 개선점에 관하여 피드백 받고 본인 스스로 연구하고 공부하고 또 실제 적용해 보아야 한다. 심리학자 손다이크(Thorndike)의 '시행착오 학습이론(trial and error learning theory)'이 실력 향상의 과정을 잘 설명한다. 오랜 시간 시행착오의 과정을 거치면서 자각을 하고 개선하면서 계단식으로 서서히 실력이 늘어간다. 이는 마치 영어 실력 느는 과정처럼 지루하다. 학창 시절에 우리가 잘못된 방법으로 영어 공부를 해서 그렇다. 강사의 능력도 마찬가지다. 업무 환경 특성상 강사는 자신의 강의에 관하여 주변에서 피드백을 제대로 못 받는다. 내 강의를 수강한 교육생의 건설적인 피드백이라도 불편해하는 자존심 강한 강사가 많다. 상처받지 않기 위해 수강생의 혹평을 굳이 알려고 하지 않는 강사도 부지기수다. 그때마다 모든 이들을 만족시킬 수 없다고 자기 합리화하는 강사도 필자는 적지 않게 만나봤다. 이러면 강사는 발전할 수 없다. 양약이 입에 쓴 것처럼 교육생 혹은 교육 주관처 담당자로부터 강사는 자신의 강의 피드백을 적극적으로 받아야 한다. 말처럼 쉬운 일은 아니다.

강의 수요처 입장에서 강사는 일회성 소모품일 수 있다. 안타깝지만 그 사실을 인정하더라도, 프리랜서로서 혹은 개인사업자로서 강사는 수요처로부터 계속 부름을 받아야 한다. 내가 지금 쓰는 이 책이 이 나라 모든 예비 강사 혹은 현직 전문 강사에게 그래도 쓸만한 참고도서가 되었으면 한다. 진정 그런 마음이다. 이 책을 쓰려고 필자는 '강사' 혹은 '강의'가 들어가는 거의 모든 시중의 책을 섭렵했다. 강사와 강의를 다룬 다양한 종류의 책이 있었다. 뻔한 내용의 책도 있었고, 수박 겉만 핥은 책, 혹은 교수법 이론에만 너무 치중한 책도 있었다. 은근한 강사 본인 자랑만 하고 끝낸 자서전 같은 책도 많았다. 저자 본인만의 특수한 상황을 지나치게 일반화한 내용의 책도 있었다. 좋은 강사가 되기 위한 실천적이고 구체적인 강의 방법론보다 강사의 마음가짐만 강조한 책도 눈에 많이 띄었다. 내가 찾는 책은 저자 본인의 강의 경험을 바탕으로 초보자나 중상급 수준의 강사가 강의 현장에서 현실적으로 실천 가능한 강의 전달법을 담은 책이다. 아쉽지만, 수십 권의 관련 서적을 다 뒤져도 그런 책은 몇 권밖에 찾아볼 수 없었다.

이 책은 강사가 되려는, 혹은 이미 강단에서 활발히 활동하는 전문 강사에게도 유용한 현실적이고 실천적 내용이 담겨있다. 강단에서 그간 경험했던 필자의 여러 가지 경험과 강의력을 빨대로 쭈욱 빨아들여 강의 전달력에 관한 비기(祕技)를 담은 한 권의 책으로 집필하려 노력했다. 이 책 내용으로 필자는 사내강사 양성과정 같은 내용으로 수요가 있는 각 기관에 이틀 혹은 사흘 간 14~16시간 강의를 한다. 그때 쓴 슬라이드 장표를 이 책 구석구석에 삽입해 두었다. 이미 전문 강사인 분들과 현직 강사지만 본인 강의에 2% 부족함을 느끼는 중견 강사분들, 혹은 이제 막 강의를 시작하려는 초보 강사분들께도 이 책은 효용이 있으리라 생각한다. 전국의 모든 강사분들의 발전을 기원한다.

차례

3장 강의 스킬 알아두면 유용한 강의 노하우

차례

4장 타산지석_30금(禁) 강사는 되지 맙시다

5장 롱런의 길_ 강사로서 오랫동안 살아남는 법

Part 01

누구나 강사,
할 수 없이 강사, 그럼에도 강사

1. 누구나 강사, 할 수 없이 강사, 그럼에도 강사

먹고살기 힘든 세상이다. 최저임금을 주는 구직 자리에도 수십 혹은 수백 명이 몰린다. 그렇다고 적지 않은 자본금이 들어가는 창업 시장 진입은 언감생심, 말처럼 쉽지 않다. 이때 만만한 게 프리랜서다. 프리랜서는 진입장벽이 거의 없고, 인적자본 투자 외 현물 투자금도 없다. 하지만, 말이 좋아 프리랜서지 일이 없으면 실업자요, 일이 있을 땐 시간제 아르바이트생이다. 그래도 다른 직업에 비해 프리랜서 강사는 진입장벽이 없다는 점이 장점이다. 무언가에 관하여 말하고 싶은 사람이 마이크를 잡으면 된다. 오프라인 강단이 아니어도 좋다. 나를 따르는 팔로워(follower) 몇 명 모아서 온라인에 줌(Zoom) 같은 화상 회의 프로그램이나 유튜브 스트리밍으로, 혹은 내가 하고 싶은 이야기를 강의 형식으로 녹화해서 온라인 플랫폼에 파일로 올리면 누구나 강사가 된다. 내가 강의하는 정보가 괜찮으면 많은 팔로워도 모을 수 있고 그것으로 돈도 벌고 어딘가로부터 초빙받아 또 다른 강단에 설 수도 있다. 내가 운영하는 SNS상의 '팔로워'나 '좋아요' 숫자가 곧 돈이다. 누구나 자신의 콘텐츠만 있으면 강사가 된다. 정보를 전달하는 거의 모든 유튜버도 넓은 의미의 강사다.

또는 필자처럼 나이가 들어 할 일이 없고 달리 자본금도 없어서 할 수 없이 몸으로 때우는 생계형 강사도 있다. 잘나가는 모 바이오 기업 서OO 회장도 나이 들어 재취업이 안 돼서 창업을 시도했다고 한다. 백 세 시대에 중년 이후 기나긴 시간을 무엇을 하며 먹고살아야 할까를 고민하다가 필자는 내가 가진 주제로 강의를 해보기로 용기 내었다. 아니 할 수 있는 것이 그것밖에 없었다. 굼벵이도 구르는 재주가 있다고, 인터넷에서 무료로 할 수 있는 다중지능검사(multiiqtest.com)를 해보니 자기이해 지능과 언어지능이 나의 강점으로 나왔다. 언어지능? 그렇다면 글을 써보고 강의 한 번 해볼까 하는 요량이 생겼다. 그래서 책도 써보고 강의도 하게 되었다. 나이 들어 궁지에 몰려 어쩔 수 없이 선택한 방향이지만, 운 좋게 나의 적성과 재능이 닿아 꾸역꾸역 강단에서 밥을 번다.

별달리 대안이 없어 절반의 실업자로 강의하면서 먹고살지만, 그럼에도 나 같은 1인기업 혹은 프리랜서 강사가 좋은 점도 있다. 매월 반복되는 업무를 하며 월급을 받았던 직장생활을 할 때는 몰랐던 무언가의 내공이 한 해 두 해 온전히 내게 쌓이는 좋은 느낌이 있었다. 직장에서 약 이십 년을 보냈지만, 나는 단지 월급을 위해서 혹은 회사를 위해서 일했다. 나의 시간과 건강을 월급과 바꿔 먹는 그런 시절이었다. 한 달 업무를 열두 달 반복하고 일 년 업무를 이십 년 동안 반복했다. 결국 나는 한 달간 이루어지는 같은 업무를 이십 년 동안 반복했지만, 나의 업력은 기껏 한 달짜리에 불과했다. 조직에서 이십 년간 쌓아온 업무 내공이 지금은 거의 쓸모가 없다. 회사 안에서만 활용할 수 있는 기술이었다.

강사는 좀 다르다. 1인기업 혹은 프리랜서로 일하니 온전히 나를 위해서 일한다. 강단에서 같은 말만 반복하는 앵무새 강사가 될 수 없어 콘텐츠 보강을 위해 일신우일신 공부하고 연구하다 보니 자연스레 업력이 고스란히 쌓여간다. 어느 정도 내공이 쌓이니 이제는 다른 일은 할 수가 없다. 그간 쌓아온 강사로서 경험과 노하우를 버릴 수 없기 때문이다. 기회비용이 엄청나게 발생했다. 내일은 또 어떤 강단에 오를까 생각하면 설렌다. 중년에 들어서 요즘처럼 가슴 뛰는 시기가 내 인생에 또 있었을까 생각도 한다. '누구나 강사'에서 이제는 '그럼에도 강사' 대열에 들어선 것이다.

2. 프리랜서 강사의 애로사항

강사는 활동 유형으로 보면 두 가지 형태가 있다. 독립해서 혼자 활동하는 프리랜서 강사와 민간 혹은 공공 교육기관 소속 강사가 있다. 에이전시(agency)라 부르는 강의 대행업체나 교육기관에 소속한 강사는 4대 보험 없이 1~2년 정도 위촉직으로 강의 의뢰 건마다 강사료를 받는 경우가 있고, 계약직으로 고용되어 아예 강의 시간과 무관하게 월급을 받는 경우도 드물게 있다. 두 가지 고용 방식이 각각 장단점이 있다. 교육기관에 소속된 강사는 우선 강의 기회(횟수)를 안정적으로 확보할 수 있다. 강의 수주를 해당 교육기관의 영업력이나 마케팅력으로 해결하니 강사는 강의 섭외에 따로 신경 쓰지 않아서 좋다. 하지만 강사료 단가 면에서 양자가 나누어야 한다는 단점이 있다. 강의를 발주하는 수요기관 측면에서 강사를 위촉직으로 선임하면 직접 고용하는 경우보다 비용 측면에서 위험부담이 현저히 줄어든다. 이 경우도 개인 강사 각각을 따로 위촉하는 경우가 있고 아예 강사진을 구성하고 있는 외주 업체에 위탁하기도 한다.

만일 중장년을 대상으로 인생 다모작 생애설계 방법론 관련 전직지원 분야를 강의하는 강사라면 경력 축적을 위해 일정 기간 한국생산성본부나 한국능률협회 혹은 공무원연금공단 등등의 관련 공공 혹은 민간 교육 수요기관으로부터 위촉받아 강의하는 것도 일정 부분 필요하지만, 강사로서 인지도가 쌓여 강사 본인의 퍼스널 브랜딩(personal branding)이 확고하다면 프리랜서 강사나 1인기업 대표로 나서는 것이 바람직하다. 공영방송 아나운서들이 적정 시점에 '프리(free) 선언'을 하며 해당 방송국을 퇴사하여 개별적으로 활동하는 경우가 이와 유사하다. 강사의 업무 형태는 대체로 프리랜서로 활약하는 경우가 많으니 이 책에서는 프리랜서 강사만 언급하기로 한다. 참고로 교육 수요기관의 위촉강사 모집은 대게 연말부터 연초에 모집 공고가 나오는 경우가 많다. 기본 경력증명서 외 5분 내외 동영상 강의 시연 파일을 요구하는 기관도 있으니 평소 잘 된 강의 영상을 편집하여 샘플 강의 영상으로 보관해 두면 좋다.

수입

역시 돈(강사료)이 문제다. 이제 막 전업으로 강의하려는 사람이 알면 좋은 내용이다. 당연한 말이지만, 강사에게 수익은 다변화가 필요하다. 정부 기관과 연관한 공공기관에서 주로 강의한다면 강사료는 강사 경력에 따라 시간당 강사료 상한선이 정해져 있다. 처음 한 시간 강사료 얼마, 이후 추가 시간마다 첫 시간 강사료의 절반 정도 금액으로 추가한다. 강사 급수에 따라 다르지만, 그리 높은 금액은 아니다.

일반 사기업 강사료는 특별히 정해진 금액은 없고 대체로 공공기관보다 좀 더 높게 책정된다. 사기업 강사료는 강사 개인의 브랜딩 파워에 따르는 경우가 대부분이다. 공공이든 민간이든 강사료는 원금에서 사업소득세 원천징수 3.3% 혹은 기타소득세 8.8%를 떼고 받는다. 일회성 강의라면 대체로 기타소득세 8.8%를 공제하고, 그렇지 않고 일정 기간을 정하고 프로젝트 형식으로 반복하여 강의 프로그램을 수행하면 사업소득세 원천징수액을 공제하고 나머지를 받는다. 강사로서 연봉이 일반 기업 월급생활자 정도라면 3.3%든 8.8%든 그리 신경 쓸 필요가 없다. 어차피 조삼모사다. 강사마다 상황이 다르고 공제 요건이 다양하지만, 매년 5월 홈텍스(www.hometax.go.kr) 종합소득세 신고에서 대부분의 원천징수 금액을 공제받을 수 있다. 강사로서 나의 연봉이 높다고 생각된다면 사업자등록증을 발급받거나 원천징수 세금을 익년 6월말 경에 환급 받을 수 있도록 비용처리에 신경 써야 한다. 세금을 모르면 앞으로 벌고 뒤로 돈이 나간다. 이 책은 절세 관련 책이 아니므로 이 부분은 넘어가기로 한다. 아무튼, 한 해 두 해 겪어보면 알게 된다. 강사로서 내가 버는 연봉에 따라 비용처리 부분을 세무사에 맡길 것인지, 내가 그대로 앉고 갈 것인지를. 대략 언급하자면, 대기업 과장급 정도 연봉이라면 사업자등록을 하거나 따로 세무사를 지정하여 세무 관리를 꼼꼼히 해야 하지 않을까 생각한다.

이쯤에서 강사료를 높이는 방법을 언급한다. 방법은 간단하다. 민간 수요처에서 주로 강의한다면 절대적으로 퍼스널 브랜딩이 필요하다. 책을 쓰든 유튜브를 하든 유명해지면 된다. 민간 수요처에서는 강사의 몸값은 강사의 해당 분야 영향력이나 유명세 같은 것으로 주관적으로 책정된다. 억울하면 유명해지고 볼 일이다. 반면 공공기관의 강사료는 대부분 비슷한 금액 체계가 있다. 주로 학위나 직위 혹은 관련 업계 경력이나 강의 연차를 따진다. 꼼수긴 하지만 1인기업 대표로 사업자등록증을 내면 기업 대표로 간주하여 대게 1급 강사로 규정 받을 수 있다. 내가 주로 공공기관에서 강의한다면 우선 강사 급수를 높여야 한다. 이건 조선시대 신분 계급처럼 올리기가 만만치 않다.

공공기관이 대체로 비슷한 강사 시간당 강사료 기준표를 가지고 있으니 여기서 밝혀도 될 것 같다. 공공기관 강사료는 생각보다 그리 많지 않고, 매년 물가상승률 등을 반영해서 그만큼 오르는 것 같지도 않다. 예를 들어 공공기관 1급 강사인 필자의 경우, 2023년 기준으로, 첫 한 시간은 25만 원, 추가 시간당 12만 원 정도다. 여기에 교재 파일을 PDF나 한글 파일로 제출하면 장수에 따라 정해진 교재 제출 비용을 추가로 받고, 지방일 경우 실비 정도의 교통비를 받는다. 만일 교통비 없이 근거리 공공기관에서 필자가 세 시간 강의한다면,

강사료 49만 원에 교재 파일 제출비 10~20만 원 정도니 대략 70여만 원 정도 받는다. 물론 세전 금액이다. 여기서 사업소득세 3.3% 혹은 기타소득세 8.8% 중 한 가지를 정하고 그만큼 공제하고 받는다. 사업자등록증이 없고 일회성 프리랜서 강사의 강의라면 기타소득으로 간주하여 원천징수 8.8%를 공제하고 받는다. 이렇게 강사료 정산 기준은 있지만, 정산하는 기관 담당자 성향에 따라 원고료나 교통비를 안 챙겨주는 경우도 간혹 있다. 필자의 경험이 그랬다. 왜 안 챙겨주냐고 따져 묻기도 참 애매하다. 요즘은 업무가 투명해져서 강의 의뢰가 성사되면 수요처 담당자가 강의 계약서와 강사료 세부 내역을 강사에게 이메일로 보내주는 경우가 일반적이다.

자신만의 콘텐츠 만들기 애로사항

강사는 무릇 자신만의 차별화한 콘텐츠가 있어야 한다. 세상에 진정 새로운 것은 없지만, 여기저기서 강의 자료를 짜깁기하더라도 자신의 통찰을 담아 그럴듯한 표현력으로 강단에서 전달하는 능력이 필요하다. '강사의 효과적 전달기법'이란 내용으로 강사 역량향상 과정 강의가 많듯이 강사로서 이 부분이 힘들다. 마케팅에서 가장 힘든 부분이 상품 차별화 아니던가. 매번 같은 강의 내용으로 '카피(copy) 강사'라고 불리는 앵무새 강사가 되는 것을 강사는 경계해야 한다. 듣는 수강생도 금세 알아차린다. 듣는 귀와 보는 눈은 대부분 비슷하기 때문이다. 불규칙하게 부름을 받아 강단에 오르는 강사가 매번 차별화한 나만의 콘텐츠로 무장하기란 현실적으로 힘들다. 이는 타고난 감각과 꾸준한 노력이 필요한 영역이다. 그럼에도 이런 부분을 견디고 일신우일신(日新又日新) 하는 강사만이 성공할 수 있다고 나는 생각한다. 아니면 세상에 흔한 그저 그런 강사가 되든지. 요즘은 책이든 유튜브든 자기계발을 도모하거나 강의 콘텐츠 보완을 위한 도구는 널렸다. 문제는 언제나 실천이다.

필자는 강의 자료를 개별 포장한 아이스크림처럼 주제별로 모듈화하여 클라우드 디스크에 보관한다. 평소 눈과 귀를 열어두고 공부하고 여러 정보를 접하면서 업데이트가 필요한 내용이 있다면 해당 모듈 파일을 꺼내어 수시로 보강 해둔다. 강의를 의뢰받을 때마다 강의 교안을 처음부터 만들지 않는다. 전하려는 주제와 수강생 기대 수준에 맞는 모듈을 몇 개 꺼내어 조합하여 큰 틀을 우선 짠 후 세부적으로 내용을 보강한다. 강의 콘텐츠 구성에서 이런 방식이 가장 효율적이었다. 초보 강사의 방식은 책에 나온 내용이나 여타 관련 자료를 그대로 가져다 쓰는 경우다. 고수가 되려면 여러 자료를 자신의 스타일에 맞게 잘 버무리고 그 안에서 강사 자신만의 통찰이나 메시지를 뽑아내는 기술이 필요하다. 하루아침에 습득할 수 있는 기술은 분명 아니다. 양이 질로 승화하는 경우가 있다. 꾸준한 투입(input)만이 양질의 콘텐츠 생산의 근본이 된다. 뻔한 이야기지만, 콘텐츠 제작 관련하여 지름길은 없다. 정공법으로 꾸준한 공부와 연구와 눈과 귀를 열어두고 받아들이는 수용적 태도가 필요하다. 대학생이 말하는 '인생'과 초로의 어르신이 말하는 '인생'이란 주제의 무게가 사뭇 다르게 느껴지는 이유와 같다고나 할까. 콘텐츠 제작은 통찰의 과정이다. 분명 내공이 필요한 영역이다. 알을 빨리 얻겠다고 부디 암탉의 배를 가르는 우를 범하지 마시길.

프리랜서지만 의외로 촉박한 시간

준비된 강사는 그리 많지 않다. 밀가루 반죽을 미리 해두면 곧 굳게 마련이다. 오래전부터 만들어 둔 굳은 반죽 강의 교안으로 앵무새처럼 내뱉고 오는 영혼 없는 강사면 모를까, 대부분의 전문 강사는 강의할 때 좀 더 잘해보려는 욕심이 있다. 전문강사는 강의 자료를 그때그때 만드는 밀가루 반죽처럼 실시간으로 업데이트한다. 강의 비수기에 판판이 놀다가 막상 강의 의뢰가 불규칙하게 몰리면 그때부터 강사는 강의 교안 작성에 시간 부족으로 조바심이 나기 마련이다. 이미 언급한바, 강의 자료는 평소에 틈틈이 모듈화하여 그때그때 업데이트하는 것이 현명하다. 그날 교육생 기대와 수준에 맞는 강의 모듈을 채택하고 그중 필요한 부분만 업데이트하면 깔끔하다.

유명 강사가 아닌 일반 1인기업 강사 혹은 프리랜서 강사는 평균적인 직장인에 비하면 시간 여유가 있다. 그러다 연중 몇 번씩 강의 의뢰가 특정 기간에 쏠리게 되면 백수가 과로사한다는 말처럼 강의 준비로 시간 압박에 시달리는 경우가 간혹 있다. 시간에 쫓기면 경험상 강의 품질은 나빠지게 마련이다. 내가 할 수 있는 강의와 정중히 거절해야 할 강의를 잘 구분하여 스스로 일정을 조절하는 수밖에 달리 방법이 없다. 필자도 초보 시절 강의 욕심에 내가 가진 주제와 다소 괴리가 있는 강의를 맡았다가 잘 모르는 분야 강의 준비한다고 시간만 쓰고 강의 만족도도 안 좋게 나온 사례가 있었다. 특히 초보 강사 시절에 이런 불편한 경험은 자신감 상실로 이어져 이익보다 손해가 더 클 수 있음을 경계하자. 경험이 쌓이면 강사의 시간 관리는 자연스레 해결될 문제라고 생각한다.

강의 수주 영업이나 인맥 관리 애로사항 또는 외로움

어느 분야를 막론하고 전국에 강사가 넘쳐나니 강의 수주는 어쩌면 그들 간 땅따먹기 싸움이다. 이때 마케팅과 영업이 필요하다. 가만히 있으면 누가 나를 불러주지 않는다. 내가 해당 분야에서 독보적인 존재가 아닌 이상, 대체재가 워낙 많기 때문이다. 그렇다고 수요처 여기저기에 강의 제안서 이메일 보내고 명함 뿌려대는 활동도 경험상 그리 효과적이지 않다. 전통적 마케팅 기법으로 말하면, 강사의 마케팅은 양으로 밀어내기식 push 기법보다 그들로부터 부름을 받아내는 pull 전략이 유효하다. 그 전략으로 단연 퍼스널 브랜딩 강화가 필수다. 퍼스널 브랜딩 강화 수단으로 SNS를 잘 구축하는 것이 힘 덜 들이고 효율적으로 자신을 마케팅하는 방법이라고 단언한다. 블로그를 운영한다면 괜한 블로그 마케팅이니 체험단 기자단 등등 푼돈에 현혹하여 한눈팔지 않았으면 좋겠다. 더 큰 것을 놓치기 십상이다. SNS는 내 기분의 화장실이나 푼돈을 위한 도구로 쓰지 말고 철저히 계산된 퍼스널 브랜딩 목적으로 쓰길 권한다. 강사는 본진을 잘 꾸려야 이후의 일이 쉽게 풀린다. 블로그나 유튜브 등을 나의 본진으로 잘 구축하길 바란다.

위 그림은 필자의 홈페이지형 네이버 블로그 첫 페이지다. '인생다모작연구소'라고 대문에 크게 적혀있다. 누구라도 한눈에 무엇을 말하는 블로그인지 짐작할 수 있다. 하단엔 강사

프로필과 연락처 등을 알 수 있게 잘 아이콘 형태로 노출한다. 일반 블로그 아닌 홈페이지형 블로그는 PC(컴퓨터) 화면에서만 유효한데, 요즘은 모바일로 검색하는 경우가 많아서 굳이 위처럼 귀찮게 홈페이지 형태로 꾸밀 필요는 없다. 그래도 홈페이지형 블로그를 꾸미고 싶다면 유튜브나 여타 블로그에서 '홈페이지 블로그 만들기' 등의 검색어로 검색하면 만드는 방법이 잘 나와 있다. 설명대로 한번 만들어 보면 그다지 어렵지 않게 구현할 수 있다.

전업 강사는 외로운 직업이다. 사람의 성향에 따라 조직에 속해 있을 때가 편한 사람이 있고 혼자서 북 치고 장구 치는 프리랜서가 편한 사람도 있다. 필자도 종종 외로움을 느낄 때가 많다. 혼자 멀리 떨어진 느낌이나 누군가의 피드백을 받지 못해 뒤처지는 기분이 들 때가 많다. 퇴근 후 친한 직장 동료와 기울이는 술 한잔의 여유를 즐겨본 지 오래다. 홀로 일하는 강사는 이런 고립감과 소외감을 오롯이 홀로 이겨 내야 한다. 적성에 맞지 않으면 힘들다. 그럼에도 시대가 바뀐 만큼, 이런 외로움이 오히려 장점이 되기도 한다. 적어도 대인관계 때문에 스트레스받는 일은 없지 않은가. 물도 좋고 정자도 좋은 곳은 없다고 자위하며 넘어갈 일이라 생각한다.

3. 프리랜서 강사, 사업자등록증 낼까 말까

프리랜서의 사업자등록증 발급, 프리랜서 강사라면 누구나 한 번쯤 고민했을 문제다. 사실 강사료만이 수입원이라면 사업자등록증 안 내도 무방하다. 세법적으로도 아무런 문제가 없다. 강사료를 받을 때 어차피 수요처에서 3.3%든 8.8%든 원천징수액을 제외하고 받기 때문이다. 강사는 이듬해 5월에 홈텍스에 종합소득세 신고를 하여 급여생활자의 연말정산처럼 이미 내가 지불한 원천징수액에서 더 낼 부분은 더 내고 돌려받을 금액이 있다면 돌려받는다. 강사로서 일반기업 신입사원 수준 연봉 정도를 벌었다면 그 수입 구간의 세율이 낮아 기본 공제만으로 대체로 원천징수액 대부분을 돌려받을 수 있다. 그렇다면 프리랜서나 1인기업 강사가 사업자등록을 발급해야 하는 경우는 어떤 상황일까.

사업자등록 형태는 일반과세자와 간이과세자 그리고 면세사업자로 세 가지 부류가 있다. 어차피 수입이 지속 늘어간다면 간이과세자 발급은 별로 권하지 않는다. 일정 금액 이상 수입이 생기면 간이과세자에서 일반과세자로 또 변경해야 하는 번거로움이 있다. 강의료가 주 수입이라면 '부가가치세 면세사업자'로 등록을 권한다. 면세사업자도 간이과세자처럼 세금계산서 발행은 안 된다. 부가세 신고 의무가 있는 일반 사업자등록증을 발급받으면 부가세 신고 절차만큼 번거롭지만, 면세사업자로 등록하면 일반 월급생활자처럼 연말정산을 하면 된다. 월급생활자는 매년 초 1~2월 내에 연말정산을 하고, 프리랜서 면세사업자는 5월에 종합소득세 신고를 하면 된다. 또 하나 기억해야 할 일이 있다. 면세사업자나 비과세사업자는 매년 2월 10일까지 사업장 현황 신고를 해야 한다. 일반사업자처럼 부가세 신고 안 하는 것만으로도 세무 관련 업무가 확 줄어든다.

특정한 수입액에 따라 사업자등록 여부를 결정하기도 한다. 목적은 절세다. 앞서 언급했든, 일정 수준 이하 연봉이라면 기본 공제만으로 대체로 원천징수한 세금을 돌려받지만, 수입이 늘면 자연스레 과표 구간이 확대되어 특정 금액 이상으로 벌면 세율이 높아진다. 인터넷을 검색해 보니 대략 연 수입액 7천만 원이 넘으면 무조건 사업자등록을 하는 것이 절세 측면에서 유리하다는 정보가 많다. 그 정도 수익이 발생한다면 세무사를 지정하여 상담을 받아볼 일이다.

강사가 면세사업자로 사업자등록을 발급받기 위해 업태는 서비스업, 종목은 필자의 경우 교육상담이다. 면세사업자로 등록할 수 있는 업태와 업종이 따로 구분되어 있다. 홈택스에서 사업자등록증 신청할 때 면세사업자로 업태와 업종을 선택했는데 혹여 그 업태와 업종이 면세사업자로 등록이 안 되면 세무서에서 전화가 온다. 필자의 경우 강의와 상담 컨설팅을 주로 한다니 세무사 직원이 알아서 업태와 업종을 서비스업과 교육상담 종목으로 변경해서 면세사업자로 등록해 주었다. 홈택스에서 사업자등록증을 신청하면 특별한 하자가 없다면 1~2일 이내에 처리가 완료된다. 종이로 된 사업자등록증이 필요하다면 홈텍스에서 파일로 내려받을 수 있다. 물론 세무서에 방문하여 종이로 된 사업자등록증을 받을 수도 있다. 우리나라 행정 업무가 이렇게 빨랐는지 감동한다.

프리랜서 강사가 사업자등록증 없이 강의해서 수입을 얻어도 세무적으로 법적으로 문제없지만, 사업자등록증이 필요할 때가 있다. 강사로서 경력 연차를 증빙하거나 1인기업이라도 사업 대표자임을 내세워 조금이라도 강사료를 더 받고 싶을 때, 혹은 강의 수요처에서 세금계산서 발행을 요구할 때다. 하나씩 살펴보자. 강사로서 강의 경력증명서를 강의 수요처에서 요구할 수 있다. 이때 사업자등록증이 없다면 매년 각 기관에서 강의했던 강의경력 증빙서류를 받아 제출해야 한다. 특정 수요처에서 일정 시간 이상 강의했던 경우 강의경력 증빙서류를 매해 건건이 만들어 그곳으로부터 확인 도장을 받아두어야 한다. 나의 강의경력이 10년이라면 10년간 매년 강의경력 증빙서류를 받아두어야 한다. 번거롭다. 사업자등록증이 있다면 사업자등록증 발행일로부터 나의 강사로서 경력을 입증할 수 있다. 프리랜서가 사업자등록증을 발급하면 1인기업 대표가 된다. 아무래도 프리랜서보다 기업 대표가 퍼스널 브랜딩 면에서 수요처로부터 높은 점수를 받게 마련이라 강사료를 한 푼이라도 더 받을 수 있다. 혹은 수요처에서 간혹 세금계산서 발행을 요청할 때도 있다. 사업자등록을 해두었다면 당당하게 부가세 10%를 포함하여 강사료를 지불받을 수 있다. 물론 받은 부가세만큼 부가세 신고는 해야 한다. 먼저 돈을 받고 나중에 신고하니 돈을 굴릴 수 있는 장점이 있다고나 할까. 물론 사업자등록증이 없어서 세금계산서 발행 없이 3.3%나 8.8% 원천징수하여 강사료를 받는다고 해도 수요처에서는 세금계산서 발행하는 것이나 원천징수하는 것이나 세무적 효과는 같다. 수요처에서 강사료에 대한 세금계산서 발행을 못 해서 해당 강사를 초빙할 수 없는 것은 아니다. 강사료 외 다른 사업소득이 있는 강사라면 세금계산서를 발행할 수 있도록 일반과세자로 사업자등록증을 발행하는 것도 검토하자.

사업자등록증 발급 관련 궁금한 점이 또 하나 있다. 발급 후 나오는 건강보험료다. 사업자등록증을 발급받으면 그날로 건강보험 지역가입자가 된다. 혹시 직장에서 퇴사한 지 3년 이내의 프리랜서 강사라면 가능한 건강보험료 직장가입자 임의계속가입제도의 혜택을 3년간 꾸준히 누린 후 이후 사업자등록을 하는 것도 고려해보자. 건강보험 직장가입자는 퇴사 후에도 직장에서 냈던 건강보험료와 같은 액수를 3년간 납부할 수 있다. 이것이 건강보험료 직장가입자 임의계속가입제도다. 건강보험료 지역가입자가 되면 대체로 직장에서 냈던 보험료보다 디 많이 낼 터이니, 가능하면 3년간이 혜택을 다 누리고 이후 부가세 면세 사업자등록을 고려하는 것도 방법이다. 프리랜서 강사 3년 이내라면 수입이 안정적이지 않을 수도 있으므로 건강보험료라도 아끼면 좋지 않을까. 사업자등록증 발급 신청은 세무서에 직접 가지 않아도 국세청 홈텍스 사이트에서 10분이면 신청할 수 있다. 홈텍스로 사업자등록 신청하는 방법은 인터넷에 검색하면 얼마든지 찾아볼 수 있다.

4. 결국은 양질의 강의 콘텐츠와 퍼스널 브랜딩

여러 해 강의하면서 느낀 점이 있다. 오랫동안 살아남는 강사의 필요조건은 결국 자신만의 강의 콘텐츠와 강의 능력 그리고 퍼스널 브랜딩이다. 세 가지 모두 중요하다. SNS를 잘 활용하거나 퍼스널 브랜딩이 그럭저럭 수요처로부터 먹혀서 여기저기 강의에 불려 다닐 수 있다. 이때 강의 콘텐츠가 부실하다면 오래가지 못한다. 퍼스널 브랜딩에 의해 한두 번 불려 나갈 수 있지만, 강사가 실력이 부족하다면 그다음을 기약하기 힘들다. 이런 일이 한 해 두 해 쌓이면 강사로서 입소문이 안 좋게 나기 마련이다. 이런 강사는 점차 입지가 줄어들 수밖에 없다. 강의 콘텐츠는 우수하지만 퍼스널 브랜딩이 약해도 고생하긴 마찬가지다. 물론 이 경우가 전자보다 낫지만, 양자 모두 갖추는 것이 바람직하다. 요즘 정보화 시대에 좋은 것은 '낭중지추(囊中之錐)'처럼 언젠가는 알려지게 마련이다. 강사의 강의 콘텐츠가 타 강사 대비 상대적으로 우월하다면 주도권을 강사가 쥘 수 있다. 이런 강사라면 시간이 남을 때 자신의 콘텐츠를 더 갈고 닦기보다 차라리 퍼스널 브랜딩을 강화할 방법은 찾는 것이 더 효율적일 수 있다. 매년 수입이 늘어가는 강사의 공통점은 기존 거래처를 기본으로 깔고 매년 신규 수요처를 추가하는 일이다. 작년 재작년에 강의했던 수요처에서 밀려나 매번 새로운 수요처에서만 찾아주는 강사라면 수입 증대를 기대하기 힘들다. 흔히 말하는 '디폴트(default)'로 깔고 앉은 고정거래처가 있어야 한다. 긍정의 입소문도 내 강의에 만족한 이런 고정거래처로부터 추가로 생성되는 경우가 다반사다. 아무튼 물 좋고 정자까지 좋기는 힘들다지만, 강사로서 성공하려면 이 모두를 필히 장착해야 한다. 하나씩 살펴보자.

» 양질의 강의 콘텐츠 만드는 법

나와 나의 친형은 어렸을 적 장기(將棋)를 즐겨 두었다. 그때는 나무 장기판을 앞에 두고 둘이 같이 기력을 겨루었지만, 지금은 '카카오장기'라는 인터넷 어플로 각자 다른 상대와 둔다. 게임 안에서 친형이 현재 몇 급인지 몇 단인지 혹은 형이 두었던 기보를 멀리 있는 내가 모두 열람해 볼 수 있다. 형도 마찬가지로 나의 기력과 기보를 확인할 수 있다. 친형의 기력은 한결같이 7~8급을 오고 간다. 카카오 장기 기력 체계는 아래로 18급부터 위로는 9단까지 총 27단계가 있다. 예를 들어 7급이면 밑에서부터 11단계를 밟아 올라왔지만, 아직 위로는 넘어야 할 15단계가 존재한다. 그러니 7~8급 기력이면 대체로 중간 이하의 기력이라고 봐도 무방하다. 형의 기력은 작년이나 올해나 그대로다. 형이 남들과 두었던 기보를 보면 6단인 내가 보기에 형은 장기의 기본 포진법을 모른다. 손 가는 대로, 기분 나는 대로 두는, 일명 '손장기' 혹은 '막장기'다. 이러면 급수를 제대로 올리지 못하고 평생 제자리에 머물게 된다. 기본 포진법을 모르면 1만 시간의 법칙도 무용하다. 나는 220판을 두고 6단이지만, 친형은 지금까지 나보다 약 열 배를 더 두고도 아직 7급이다. 단순 반복만으로 실력을 향상할 수 없다는 명백한 증거다.

그렇다면 어떻게 해야 실력을 향상할 수 있을까. 장기든 무엇이든 원리는 비슷하다. 유명 베스트셀러이사 'IQ, 재능, 환경을 뛰어넘는 열정적 끈기의 힘'이라는 부제가 달린 책 [GRIT]에서 '의식적 연습(deliberate practice)'이라는 단어를 언급했다. 단순 반복만으로는 실력 향상이 어렵다는 말이다. 장기에서는 고수들의 기보를 열심히 보고 '의식적인 연습', 즉 반복과 학습이 필요하다. 정석 포진법을 알아야 한다. 그런 가운데 평소 자신이 둔 기보도 반드시 '복기'라는 과정이 필요하다. 어디서부터 잘못 두었는지 반드시 되새김하는 과정이 필요하다. 이것이 강사에겐 강의 후 수강생으로부터 받는 피드백 과정이다. 승패에 결정적 영향을 미쳤던 지점에서 무엇이 잘못되었는지 인지해야 하고 개선책이 있는지도 살펴야 한다. 단순 경험의 반복보다 경험을 인식으로 전환하는 의도적 노력이 있어야 실력이 향상된다.

이번 주제의 소제목이 '양질의 강의 콘텐츠 만드는 법'이다. '돈 잘 버는 법' 같은 질문처럼 범위가 매우 넓고 추상적이다. 강사가 되려는 사람 혹은 이미 강의 업계로 들어온 강사에게 '강의 콘텐츠 잘 만드는 법'이란 광범위한 주제를 한 마디로 서술하기 힘들다. 어디서 보고 들었던 남들의 콘텐츠만 모아서 양이 질로 승화하는 순간을 기대하지 말고 근본적인 실력 향상할 방안을 고민해야 한다. 강사도 이른바 장기에서 말하는 '정석 포진법'을 알아야 한다. 필자가 강의에서 말하는 양질의 콘텐츠를 만드는 포진법을 이해하기 쉽게 육하원칙으로 나누어 설명하면 괜찮을 것 같다.

Why.

일단 이 강의를 왜 하는지 강사가 먼저 충분히 이해해야 한다. 강의 의뢰를 받으면 강사는 우선 교육생의 요구나 기대사항을 강의 주관자로부터 물어 파악해야 한다. 강의 장표를 만들 때 첫 부분에 학습 목표가 있다. 이 부분이 'Why'에 해당한다. 어떤 이유로 교육생(수강생)이 이 강의를 들어야 하는지, 혹은 이 강의를 들으면 교육생은 어떤 혜택을 얻을 수 있는지 강의 도입부에서 분명히 밝혀야 한다. 특히 Why에 해당하는 학습 목표는 반드시 행위 동사로 소구한다. '본 강의를 들으면 수강생은 스스로 ~~을 할 수 있다' 정도로 적는 것이 좋다. 학습목표를 제시할 때 '함양한다', '고취한다', '

배양하다', '인식한다' 등의 두루뭉술한 동사(서술어) 사용은 지양한다. 나도 할 수 있다는 적극적 행위 동사가 수강생의 수강 동기를 자극한다.

온라인 쇼핑몰에 올라온 상품 상세페이지를 한번 떠올려 보자. 상품의 특징(Feature)과 장점(Advantage) 그리고 이 상품이 주는 혜택(Benefit)의 순서로 상품을 소구한다. 제품 특징(F)과 장점(A)과 혜택(B)의 앞 영문자를 따서 세일즈 마케팅의 'FAB 기법'이라고 부른다. 요즘은 이 기법을 변형하여 'BEAF 기법'으로 활용한다. 상품의 특징보다 구매자 이익(Benefit)을 먼저 노출한다. 이후 그 혜택을 보증하는 구매 후기 등을 증거(Evidence)를 제시하고 그 이후에나 상품 특징(F)과 장점(A)을 노출한다. 순서가 중요하다. 온라인 쇼핑몰에 올라온 수많은 상품 중 소비자를 유혹하는 첫 페이지부터 상품의 특징이나 장점 노출보다 이 상품을 구매하게 된다면 구매자가 얻을 혜택이나 이익을 먼저 보여준다. 한시라도 틈을 주면 소비자는 마우스 스크롤이나 다음 화면 클릭으로 페이지로 넘기려 한다. 그래서 온라인에서 상품을 팔려면 첫인상 첫페이지가 중요하다. 강의 콘텐츠 구성도 마찬가지다. 강의 첫 도입부가 가장 중요하다. 강사인 나는 왜 이 강의를 하는지, 교육생은 왜 이 강의를 들어야 하는지를 명확히 하는 'Why'의 과정이 양질의 강의 콘텐츠를 만드는 출발점이다.

Who

아무리 좋은 강의 콘텐츠라도 수강생이 누구며 그날 강의에 대하여 어떤 기대가 있는지 강사가 파악하지 못하면 서로 만족스럽지 못한 강의로 끝날 수 있다. 강사는 강의 콘텐츠를 만들기 전에 교육생 연령대와 경력 기대사항 그리고 지식수준 등을 고려해서 그들 눈높이에 맞는 강의 콘텐츠를 준비해야 한다. 만약 중장년 인생 후반기를 어떻게 풀어갈지 같은 진로 설정 강의를 한다면, 그들이 이미 퇴직한 퇴직자인지 퇴직을 앞둔 퇴직예정자인지 파악하는 것, 혹은 퇴직 후 그들의 관심사가 재취업인지 창업 창직인지 여가생활인지 등을 고려하지 않으면 자칫 강의가 산으로 갈 수 있다. 교육생이 의도했던 강의 내용이 아니라면 그들은 곧바로 강의실에서 잠을 청한다. 이점은 성인학습자의 특성 중 하나이기도 하다. 나와 상관없는 내용의 강의에 누가 관심을 가질까. 교육생이 잠을 자거나 시종일관 본인의 핸드폰만 만지작거린다면 교육생 잘못이 아니다. 수강생의 기대를 파악하지 못한 강사의 책임이다.

What

수강생 프로필(who)과 강의 필요 이유(why)를 파악했다면 이제부터는 강단에서 무엇을 어떻게 전달할 것인가가 숙제다. 각자의 방식이 있겠지만, 강의 자료는 기본 틀을 유지하되 부분적으로 수시로 업데이트한다. 모방은 창조의 어머니지만 유의할 점은 있다. 초보 강사라면 타 강사의 콘텐츠를 참고하되 그대로 가져다 쓰는 것은 권하지 않는다. 강사가 남이 만든 강의 자료만 사용하면 발전할 수 없다. 출처를 밝히고 적당히 편집해서 쓰더라도 자신만의 이야기와 통찰을 가미해서 구성해야 한다. 남이 만든 강의 자료가 아니라도 책이나 인터넷 사이트 유튜브 드라마 영화 등등 내가 전하려는 메시지(what)를 직간접적으로 전달할 콘텐츠는 주변에 넘쳐난다. 평소 강의 자료 업데이트를 염두에 두고 있다면 지나가는 하찮은 정보라도 무언가 요긴하게 쓸 데가 있다. 대중 앞에 서는 강사라면 눈과 귀를 항상 열어두고 다방면의 정보에 관심을 가져보자. 경험상 짧은 시간 안에 기본 구성을 구축하는 일은 쉽지 않다. 무릇 한 번에 되는 일은 없는 법이다. 필자 역시 같은 주제의 내용이라도 작년 재작년 강의 내용보다 현시점의 강의 내용이 훨씬 더 발전되어 있음을 스스로 느낀다. 예전에 했던 나의 강의 내용을 컴퓨터에서 삭제하지 말고 시간이 지나서 가끔 들춰보는 것도 현재 나의 위치 파악에 도움이 된다. '아, 내가 이만큼 발전했구나.'하는 성취감을 맛볼 수 있다.

When

강의 시간도 중요하다. 혼자서 주어진 시간 처음부터 끝까지 강의할 때도 있지만, 하루 중 여러 강사가 투입되어 시간 사이에 끼어 들어가는 경우도 있다. 그런 경우 전체 프로그램 목록을 사전에 확인 후 교육생 측면에서 이전에 어떤 강사가 무슨 내용과 맥락으로 강의가 이어졌는지 미리 분위기를 파악하면 좋다. 사흘 간 교육 프로그램에 내가 이틀 차 오후 강사로 들어간 적이 있었다. 메타버스(metaverse)와 고용시장의 영향을 강의하는 자리였다. 나는 개인적으로 메타버스에 대한 확신이 없었기에 심드렁하게 메타버스를 언급하고 강의장을 나왔다. 강의장을 빠져나와 교육생에게 지급된 교재를 봤더니 오전에 강의한 강사가 메타버스의 중요성을 엄청

나게 강조한 것을 교재를 통해 확인할 수 있었다. 나는 아차 싶었다. 오전 시간과 완전히 정반대의 내용으로 내가 강의한 것이다. 이런 경우 교육생은 혼란스럽다. 누구 말이 맞는지.

또 하나, 강의 시간 분량에 맞는 적정 분량의 강의 자료를 준비해야 한다. 초보 강사일수록 내용 전달에 욕심이 많다. 자칫 종료 시각이나 쉬는 시간을 넘기면서까지 강의를 이어가는 강사를 자주 목도한다. 정해진 강의 시간 이후 강의 내용은 수강생 머릿속에서 전부 연기처럼 사라진다는 것을 강사는 알아야 한다. 강의 만족도에 악영향을 미치는 요소 중 하나가 쉬는 시간이나 종료 시각을 안 지키는 강사다. 뒤에서 재차 언급하겠지만, 강의 시간 못 지키는 것은 중대한 강사 금기사항 중 하나다. 강의할 때 많은 정보량과 유익함을 혼돈해선 안 된다. 분명히 둘은 별개다.

Where

자신의 집이나 사무실 같은 익숙한 곳에서의 비대면 강의라면 모를까, 처음 가보는 오프라인 대면 강의라면 강의장 환경에 미리 익숙해야 한다. 강의장마다 환경이 천차만별이다.

사용법이 익숙한 자신의 노트북을 쓸 수 없는 강의실 기자재 환경일 수 있고, 여러 강사가 투입되는 긴 연속 강의 프로그램 중 중간에 낀 강사로 투입되는 사례도 있다. 이런 경우 강의실에 있는 컴퓨터 등 기자재 사용이 익숙지 않거나 강의 준비 시간이 부족하여 돌발 상황이 언제든 발생할 수 있다. 강의실 컴퓨터에 내가 쓰는 글꼴 파일이 설치가 안 되어 글꼴이 깨져 보이는 경우가 다반사다. 동영상 파일 확장자가 다르거나 파워포인트 버전에 따라서 현장에서 영상 재생이 안 될 수도 있다. 영상은 나오는데 소리가 안 들리는 등 현장에선 다양한 돌발 상황이 발생한다. 처음 가는 강의장이면 강사는 적어도 수십 분 일찍 도착해서 미리 강의실 환경을 파악해야 한다. 혹시 강의실 현장 컴퓨터를 사용해야 한다면 내가 쓰는 글꼴 파일도 미리 설치하고 동영상이 있다면 제대로 구동되는지 시연도 미리 해봐야 한다. 조금 일찍 강의실에 도착해서 먼저 온 수강생과 이런저런 이야기도 하며 아이스브레이킹(icebreaking)을 해두는 일도 성공 강의를 위해 필요한 사항이다. 전국으로 불려다니는 유명 강사가 아니라면 강의실에 조금 일찍 도착하는 일은 기본적 성의 문제다. 강사에겐 시간이 돈이라며 강의실에 일찍 도착하는 것이 자존심 상한다고 말하는 강사를 본 적이 있다. 글쎄?

참고로 무료 글꼴 파일은 눈누(https://noonnu.cc) 같은 무료 글꼴 다운로드 사이트에서 내려받을 수 있다. 글꼴 파일을 내려받고 해당 컴퓨디 C드라이브 - Windows폴더 - Font 폴더에 해당 글꼴을 복사 후 붙여넣기 하면 된다. 1분도 채 안 걸린다. 동영상 파일도 확장자를 .mp4보다 .wmv 파일로 변경하여 저장하는 습관을 지니면 좋다. 파워포인트 프로그램 중 버전에 따라 .mp4 코덱을 따로 설치하지 않으면 실행이 안 되는 경우가 있다. 동영상을 강의에서 사용할 때 파일을 미리 저장해서 틀지 않고 인터넷에 접속해서 유튜브 등에서 보여주는 강사도 있다. 별로 권장하지 않는다. 강의실 현장 인터넷 접속 상태에 따라 영상 구동이 잘 안 될 수도 있고 영상 파일을 찾아 재생 버튼을 누르기까지 시간도 걸린다. 자칫 준비성 부족한 강사로 부정적 이미지를 심어줄 수도 있다.

How

양질의 강의 콘텐츠를 어떻게(how) 만드냐는 책 한 권 분량으로도 모자란다. 세세한 부분은 이 책 중간중간에 부분적으로 언급되어 있다. 핵심은 메시지 전달 방식이다. 미괄식으로 전할 것인가 두괄식으로 전할 것인가, 전통적인 강의식으로 할 것인가 교육생 참여방식을 섞을 것인가, 텍스트와 말만으로 전할 것인가 아니면 어떤 시청각 자료나 사례를 사용할 것인가, 단순 정보 전달 방식인가 스토리텔링 기법으로 소구할 것인가 등을 고려하면 좋다. 대체로 각각 후자의 방식을 권한다. 강연 방식이라면 맨 마지막에 메시지를 전달하는 미괄식 전달법도 좋지만, 일반적인 강의라면 주제를 먼저 제시하는 두괄식 방식이 교육생에게 더 직관적이다. 서두에 먼저 주제를 질러두고 그 주제를 설명하기 위해 첫째 둘째 셋째 등의 개조식 설명이 명쾌하다. 물론 정답이 따로 있는 것은 아니다. 지루한 강의식보다 퍼실리테이터(facilitator) 기법을 활용한 참여방식 강의가 요즘 대세다.

참여식 강의는 수강생이 대체로 꺼린다. 그 순간이 불편하기 때문이다. 그럼에도 역설적으로 참여식 강의기법이 일반 강의식 기법보다 수강생 만족도가 높다. 아래 도표처럼 교육학자 에드가 데일(Edga Dale)의 '경험의 원추이론(cone of experience)'에서 그 점을 알 수 있다.

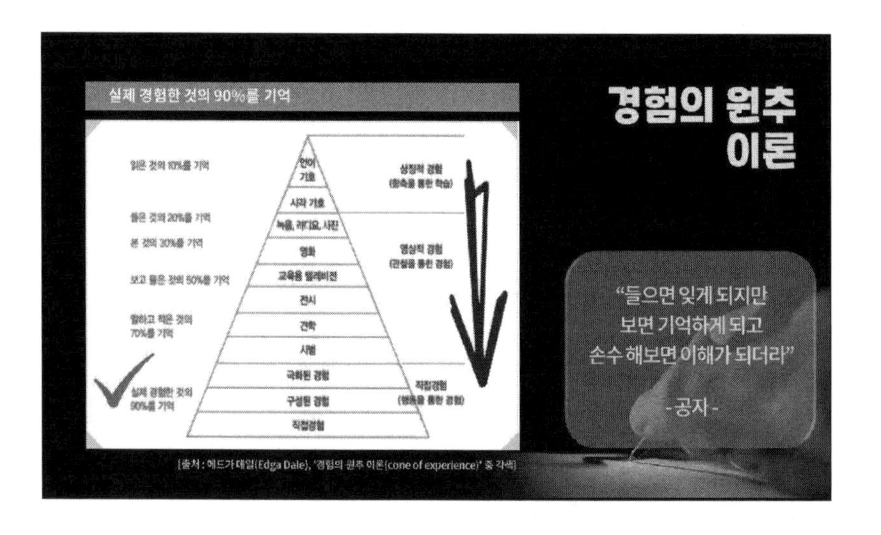

[출처 : 에드가 데일(Edga Dale), '경험의 원추 이론(cone of experience)' 중 각색]

수강생이 그냥 보고 듣는 강의보다 어떤 방식이든 교육생이 직접 경험하는 기회가 많은 강의를 더 오래 기억하고 실제 강의 만족도도 더 높게 나온다는 학설이다. 정보나 지식의 주입식 강의보다 각종 시청각 자료를 보여주거나 질문에 답하게 하거나 실습으로 직접 수강생이 경험하게 하는 방식이 유용하다. 강단에서 나의 경험도 이와 일치한다. 전달하려는 메시지를 강의식으로 단순히 설명하는 것보다 강사 자신의 이야기나 경험을 입혀서 설명하면 더 효과적이다. 이런 과정에서 질문도 하고 교육생이 참여할 수 있는 다양한 장치를 마련한다. 강사 자신이 겪었던 이야기나 강사 지인의 이야기 혹은 다른 사람에게서 들었던 이야기를 적절히 섞어 강의 주제와 엮어내는 방식이 양질의 강의 콘텐츠를 만드는 기본 토대가 된다. 처음부터 그렇게 할 수는 없다. 시간이 지나면서 지속하여 강의 콘텐츠를 부분적으로 혹은 전면적인 업그레이드를 하면서 서서히 양질의 강의 내용이 만들어진다. 무엇이든 시간과 노력이 필요한 법이다.

» 성공 강의의 3요소 : 재미, 유익, 실천 가능성

강사가 생각하는 성공한 강의와 교육생이 느끼는 괜찮은 강의의 기준점이 현장에선 다른 것 같다. 강사가 강의를 마친 후 교육생(수강생)으로부터 즉각적으로 강의 만족도에 대한 피드백을 받기 힘든 상황 때문에 서로 다른 생각을 하게 된다. 동상이몽(同床異夢)이다. 강사가 그날 강의실을 빠져나오면서 쾌재를 부른다. 오늘 목 상태가 좋아서 성량도 괜찮았고, 말도 청산유수처럼 잘 나와서 교육생 호응이 좋았다고 자평하지만, 막상 다음번 강의에 다시 부름을 받지 못한다. 이런 경우 이른바 강사만 만족한 강의였다고 추측할 수 있다. 강사가 생각하는 잘 된 강의와 듣는 수강생 측면에서 좋은 강의의 기준은 분명 다른 것 같다. 이 차이를 잘 인지하고 있는 강사가 뛰어난 강사다. 그렇다면 교육생 측면에서 좋은 강의의 조건은 무엇일까. 정답은 없지만, 내가 생각하는 좋은 강의는 세 가지 요소를 갖춘 강의다. 재미와 유익 그리고 실천 가능성이다.

재미와 유익은 굳이 더는 길게 설명할 필요가 없다. 둘 중 어느 하나라도 충족하지 못한 강의라면 아쉽다. 유익한 내용이지만 강사가 내용 전달 기술이 부족하여 지루하게만 강의를 이어간다면 절반만 성공이다. '빨리 이 시간이 지나갔으면' 하는 마음으로 듣는 대학교 전공수업 같은 그런 느낌이다. (대학 교수 강의를 비하하는 것 아닙니다. 제 경험만 그렇다는 점 참고 바랍니다.) 반대로 강의실에서 웃고 떠들고 즐거웠는데 돌아서는 순간 '그래서 오늘 주제가 뭐였지?' 하는 반문이 든다면 이 역시 좋은 강의가 아니다.

좋은 강의가 되려면 재미와 유익함은 기본으로 하고 나머지 퍼즐 조각 하나를 더 맞추어야 한다. 좋은 강의는 '실천 가능한' 내용이어야 한다. 실천 가능함이란 동기부여와 맥락을 같이 한다. 여러 정보만 줄줄이 나열하고 '강의 끝나면 제가 준 정보대로 알아서 적용해 보세요' 하고 강사가 무책임하게 말해선 안 된다. 교육생이 강의실을 빠져나가는 순간 대부분의 강의 내용은 그들 머릿속에서 휘발되어 사라지게 마련이다. 강의 중 강사가 전했던 강의 내용이 교육생 머릿속에 오래도록 여운이 남아 그들이 강의실을 빠져나와도 이후 강의에서 들었던 내용을 찾아 그대로 실천해 보고픈 동기를 부여하는 강의가 좋은 강의다. 그래서 참여식 교수기법, 즉 퍼실리테이팅(facilitating) 강의기법을 주목할 만하다. 짧은 강의 시간 동안 눈과 귀로 보고 듣고 마는 강의보다 교육생이 조금이라도 직접 경험하고 실습해 보는 참여식 교수과정을 굳이 마련해야 하는 이유가 여기에 있다.

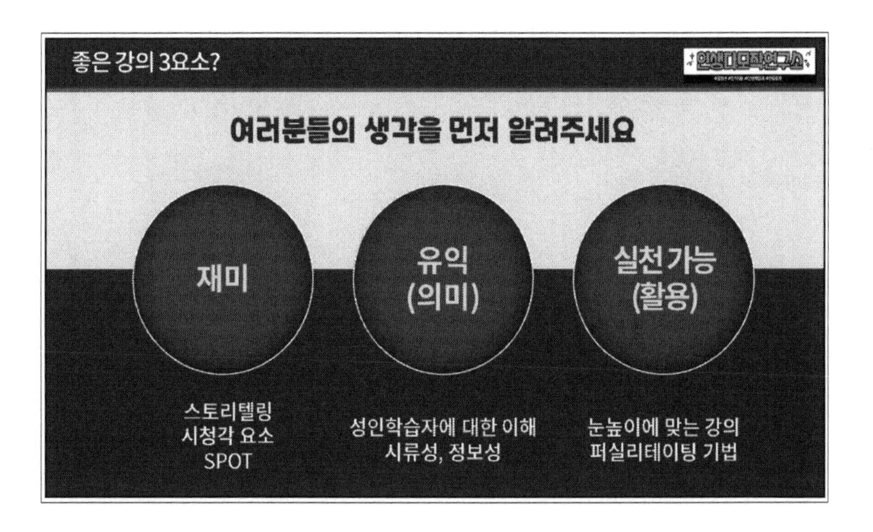

단순 지식 검색의 시대를 넘어서 ChatGPT나 구글 바드(bard) 같은 생성형 인공지능 AI 시대다. 강단에서 단순 지식 전달만으로 강의 만족도를 올리기엔 이제는 교육생과 눈높이가 맞지 않는다. 이미 있는 내용이라도 강사만의 통렬한 통찰(insight)을 그 속에 담고 재미와 흥미를 담아 내용을 전달해야 한다. 그뿐만이 아니다. 휘발성 높은 소모성 강의에서 탈피하려면 교육생에게 경험의 기회를 주어 추후 실천 가능성까지 염두에 두고 강의해야 비로소 좋은 강의라고 할 수 있다. 세상이 변한 만큼 강사의 강의 역량도 업그레이드가 필요하다.

» 강사로서 퍼스널 브랜딩(Personal Branding) 강화법

수요처로부터 부름을 받는 강사에게 퍼스널 브랜딩 중요성 언급은 사족이다. 물론 앞서 언급한 것처럼 퍼스널 브랜딩보다 강의의 질을 먼저 갖추는 것이 우선이다. 그러니 퍼스널 브랜딩은 우수한 강사가 되기 위한 충분조건이라기보다 필요조건이다. 그냥 필요조건이라기보다 좀 더 강조해서 '매우 필요한 필요조건'으로 말하고 싶다. 포스트 코로나로 퍼스널 브랜딩이란 개념이 더 우리에게 익숙해졌다. 비대면 사회, 각자도생, 개인화 시대 등의 개념이 보편화되면서 퍼스널 브랜딩이란 단어가 수면 위로 올라왔다. 퍼스널 브랜딩을 잘해서 굳이 회사에 다니지 않아도 그 이상으로 잘 먹고 잘사는 사람을 우리가 자주 접하면서 가히 퍼스널 브랜딩의 위력을 실감하고 있다.

퍼스널 브랜딩은 나를 어떻게 정의할 것인지를 스스로 아는 자기 이해에서 출발한다. 남들이 나라는 사람에 관하여 관심이 없다는 사실부터 전제해야 한다. 유튜브에서 영상을 찍어 올리든 블로그나 SNS에 특정 주제 관련 글을 쓰든 나의 모든 것이 메시지가 된다. 강사가 강의 후 블로그 포스팅으로 후기를 쓴다고 가정해 보자. 다음 두 가지 방식의 후기가 있다. 하나는 어느 수요처에 강의하는데 강의장 가는 과정에서 식당에 들러 어떤 메뉴를 먹었고, 강의실까지 가는 길이 어떻고를 쓴 경우다. 다른 하나는 그날 현장에서 무슨 내용으로 강의했고, 수강생과 어떻게 소통했는지, 강의하면서 강사인 내가 어떤 점을 느꼈는지 자신을 경험과 생각을 드러내는 경우다. 강사의 퍼스널 브랜딩 강화 측면에서 두 번째 방식으로 강의 후기를 쓰는 것이 바람직하다. 여기서 사람인 '나'가 중요하다. 블로그에 글을 쓰는 일은 남에게 보여주기 위함이다. 정보성 블로그 글 올리는 것도 중요하고 자극적인 제목이나 키워드로 소위 '어그로(aggro)'를 잘 끌어서 일단 내가 쓴 글을 읽게 만드는 '후킹(hooking)'을 쉽게 할 수 있는 세부적 장치에 집중하는 것도 필요하지만 퍼스널 브랜딩 강화 측면에서 본다면 그것이 본질은 아니다.

나를 어떻게 정의할 것인가를 우선한다. 퍼스널 브랜딩은 외부로 보이는 나의 모습, 즉 대외적인 것이지만, 본질은 자기 이해가 출발점이다. 내가 나를 모르면 남도 나를 인정하지 않는다. 사람들은 나의 숨겨진 모습까지 보려 하지 않는다. 밖으로 보이는 것만 볼 뿐이다. 이런 원리로 강단에 선 강사는 그날 처음 보는 수강생이라면 절대 이런 말은 금지다.

'제가 많이 부족하지만, 열심히 강의해 보겠습니다.'
'강의 많이 안 해본 초짜 강사라서 널리 양해 부탁드립니다.'

겸손은 언제나 미덕이지만, 나를 처음 대하는 교육생 앞이라면 예외다. 내가 대중에게 이미 잘 알려진 사람이 아니라면 지나친 겸손보다 내가 지금 이 강단에서 말할 자격이 충분하다고 어필해야 한다. 그렇지 않으면 교육생은 강사가 한 말을 그대로 듣고 '앗, 초보 강사가 왔구나'하며 강의에 대한 기대감이 확 줄어든다. 교육생도 자신의 시간을 투자하여 교육장에 온 사람이다. 시간과 정성을 투자한 참여자에게 그만한 가치가 있다고 강사는 수강생의 기대를 고조해야 한다. 이제부터라도 강사 자신을 소개할 때 충분히 나를 어필하자. 당당하되 거만하지 않게, 겸손하되 비굴하지 않게.

언젠가 읽었던 박용후 님의 저서 [관점을 디자인하라] 첫 부분에 나오는 소제목이 나의 눈길을 잡는다. One of them이 아닌 'Only One'이 되라고. 그는 자신을 마케팅 홍보 전문가가 아닌 '관점 디자이너'라고 스스로 명명한다. 흔하디흔한 홍보 마케터가 아닌 관점 디자이너라고 본인을 정의하면서 그는 이 나라에서 유일무이한 존재가 된다. 나는 블로그에서 전직지원 전문가보다 '인생다모작 코디네이터'라고 나를 정의한다. 가령,

'50플러스 세대 앙코르커리어를 위하여 인생다모작 설계

를 지원하는 인생다모작 코디네이터(coordinator) 이진서입니다' 라고.

이로써 나도 One of them에서 벗어나 대체 불가한 Only One이 된다. 관점 디자이너 박용후 님이 언급했던바, 여행 가이드보다 추억 디자이너가 좋고 광고홍보 전문가보다 관점 디자이너가 더 섹시하게 다가온다. 빅데이터 전문가인 송길영 님도 자신을 다른 사람에게 소개할 때 사람의 마음을 캐는 사람, 즉 '마인드 마이너(mind miner)'라고 명명한다. 디자이너나 마이너 등은 영어 단어로 쓰면 사람을 상징하는 ~or이나 ~er로 끝나는 단어다. 밥집 메뉴, 관광명소, 영화 감상평 등의 구매 후기나 사용 후기 등의 정보만 외부로 노출하면 퍼스널 브랜드로써 사람인 내가 아닌 정보만 남는다. 내가 SNS에 남기는 모든 메시지를 퍼스널 브랜딩의 의도를 드러내어 사물이 아닌 사람인 나를 노출하도록 생각을 바꿔보자. 사물 정보 전달은 퍼스널 브랜딩에 별로 도움 되지 않는다.

퍼스널 브랜딩 관련 질문

나를 어떻게 정의할 것인가?
(자기 이해(강점), 부캐, 멀티페르소나)

전직지원 전문가 vs 인생다모작 코디네이터

여행 가이드 vs 추억 디자이너

광고 홍보 전문가 vs 관점 디자이너

빅데이터 분석가 vs 마인드 마이너(Mind Miner)

One of them 아닌 'Only One' 되어보기

바야흐로 속한 조직의 명함이나 후광의 의미가 흐려지는 시대다. 아니 지금은 스펙이나 경력보다 나력(裸力)의 시대다. 다니는 회사 간판이나 명함 떼고 본인 자체의 역량으로 살아가는 그런 시대에 우리는 살고 있다. 그래서 자신을 정의하는 퍼스널 브랜딩이 더욱 중요하다.

강사에게 퍼스널 브랜딩의 효용은 마케팅 홍보에 들어가는 수고와 비용을 아끼고 강사료 단가를 높여주는 효자 역할을 한다. 나를 알리고자 대중에게 나를 밀어 넣는(push) 방식이 아닌 나를 찾아오게(pull) 하면서 강사는 주도권을 잡는

다. 그러니 강사는 마케팅 광고나 홍보(PR)에 힘쓰기보다 퍼스널 브랜딩을 잘 구축하는 것이 여러모로 효용가치가 높다.

퍼스널 브랜딩(Personal Branding) 시대

- **마케팅 : 메시지를 정해서 소통하는 것**
- **광고 : 메시지를 반복하여 이야기 하는 것**
- **PR : 피할 건 피하고, 알릴 건 알리는 것**

"내 상품(서비스) 구매해 주세요."

Personal Branding?

- **이미 상대방이 나의 메시지를 이해하고 있는 것**
- **(실제로 안 좋아도) 좋다고 믿는 것을 구매하게 하는 힘**

그러면 프리랜서 강사가 퍼스널 브랜딩을 어떻게 구축하는지 궁금하다. 나만의 브랜딩을 강조하는 첫 단추는 자기 이해에서 시작한다고 언급했다. 우선 나의 강점을 알아야 한다. 내가 가진 전문성과 타인 욕망의 교집합을 찾는다. 교집합이 크지 않아도 된다. 처음이 어렵다. 강의 영역을 넓혀가듯 차차 교점을 넓혀가면 된다. 그 둘 간의 교점을 '조 플리지(Joe Pullizzi)'라는 사람이 그의 저서 [콘텐츠 바이블]에서 '스위트 스팟(sweet spot)'이라 명명했다. 나는 너무 평범한 사람이라 특별한 강점이 없다고 자신을 깎아내리지 말기를 바란다. 굼벵이도 구르는 재주가 있다. 관점의 차이다. 나는 별것 아니라고 생각한 점이 타인에겐 강점으로 비칠 수 있다. 얼마든지. 자신의 강점을 주관적으로 추출하기 어렵다면 여러 강점 자가 진단 도구를 사용해 볼 수 있다.

유명한 [강점혁명]이란 책을 구매하면 책 안에 시리얼 번호가 나온다. 갤럽(www.gallup.com/cliftonstrengths)이라는 사이트에서 해당 시리얼 번호를 입력하면 나의 강점이 무엇인지 진단해 볼 수 있다. 서른네 가지 강점 목록 중 상위 다섯 가지 강점을 내게 보여준다. 34가지 강점 중 5가지 강점의 순서까지 나와 일치할 확률은 무려 수천만분의 일이라는 확률로 계산된다. 그만큼 나의 강점은 타인과 차별화된다. 마틴 셀리그만의 [긍정심리학]에서도 강점 검사 자가 진단 사이트를 권해준다. 검색창에 '마틴셀리그만 강점'이란 검색어를 입력하면 무료로 강점 진단을 해볼 수 있다. 혹은 [긍정심리학] 책속에도 강점 진단을 직접 해볼 수 있는 자가 진단지가 있으니 직접 경험해보길 권한다.

'다중지능검사'도 있다. 오래전 EBS에서 방영한 '아이의 사생활'이란 다큐멘터리 프로그램에서 소개된 바 있다. [회복탄력성]으로 유명한 김주환 교수도 그의 저서에서 회복탄력성을 높이려면 자신의 강점에 집중해야 한다며 이 검사를 언급한 바 있다. 검색창에 '다중지능검사'라고 입력하면 무료로 자가 진단을 해볼 수 있는 사이트(multiiqtest.com)가 나온다. 몇십 가지 질문지를 통해 여덟 가지 강점 지능 중 상위 두 가지를 알려준다. 내가 어떤 강점이 있는지 이를 통해 쉽게 파악할 수 있다. 김봉준 장영학 공저인 [강점발견]이란 책도 참고할 만하다. 여기에서 탤런트(talent)와 매니지먼트(management)라는 단어를 조합하여 '태니지먼트'라는 영어사전에 없는 강점 진단 신조어를 만들었다. 아쉽지만 태니지먼트 강점 진단 검사는 유료다. 관심 있으면 인터넷을 뒤져보면 된다. 이런저런 강점 자가 진단을 통해 필자인 나는 예전에 몰랐던 이런 강점들을 발견했다. 아래와 같다.

발상, 정리, 체계, 창의성, 독창성, 자기성찰, 언어지능.

이런 성적표(?)를 받아본 후 나는 한참 고민에 빠졌다. 이런 강점은 이전에 내가 미처 인지하지 못했던 요소다. '내가 이런 강점이 있다고?' 혼란스럽기까지 했다. 방 정리나 옷 정리 혹은 컴퓨터 내 폴더 관리를 깔끔하게 하는 일은 나는 전혀 문제가 없다. 결벽증까지는 아니라도 그런대로 잘 정리하는 편이다.

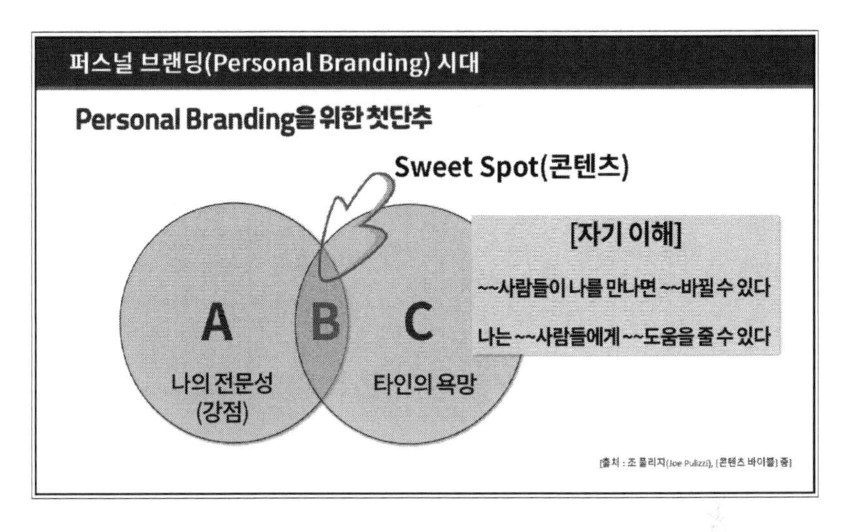

하지만 나의 아들은 이런 나의 DNA를 물려받지 못한 듯하다. 아들이 쓰는 컴퓨터를 보면 바탕화면이 꽉 찰 정도로 파일이 아무렇게나 널브러져 있다. 아들 방에 들어가면 정리 정돈 안 되어 엉망이 되어 있는 방을 매일 목도한다. 잔소리해도 그때뿐이다. 말하자면 정리 정돈처럼 하찮아 보이는 일도 누구에겐 상대적인 강점이 될 수 있다. 창의적, 발상법, 독창성, 자료 정리 정돈, 체계를 만들고 언어지능까지, 나는 이런 강점을 더해서 현재 강의하며 먹고산다. 나의 강점과 호구

지책이 일견 그럴듯하게 연결된다. 이런 나의 강점을 위에서 언급한 스위트 스팟에 대입해 보면 이렇다. 나의 강점과 타인의 욕망과의 교집합을 아래처럼 찾아볼 수 있겠다.

'향후 진로에 애로를 겪는 중년이 나를 만나 강의 듣고 상담을 받으면 그들은 그들의 진로 방향성을 스스로 정할 수 있고 행동할 수 있는 동력을 얻을 수 있다.'

그럴듯하지 않은가. 이것이 내가 찾은 나의 퍼스널 브랜딩 구축을 위한 스위트 스팟이다.

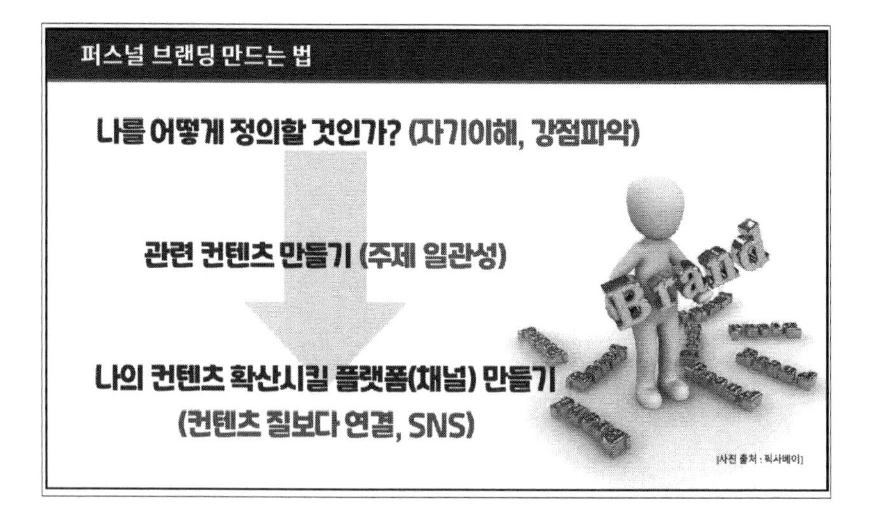

[사진 출처 : 픽사베이]

위와 같은 퍼스널 브랜딩 방향성을 가지면 절반은 성공이다. 일단 나의 스위트 스팟을 찾았으니 다음부터는 주제의 일관성을 가지고 나만의 콘텐츠를 만든다. 강의 자료든 블로그 글이든 유튜브든 책 출간이든. 이후 나의 콘텐츠를 확산할 플랫폼에 그것을 올라 태우면 된다. SNS 등을 통해 나라는 사람과 콘텐츠를 수면 위에 올려두는 일이다. 일견 간단한 절차지만 실천이 쉽지만은 않다. 그래도 이런 책 한 권 보면서 나의 향후 퍼스널 브랜딩에 관한 등대 같은 이정표 하나 찾았다면 가치는 충분하지 않을까.

Episode

부끄러웠던 속사포 강사 시절을 기억하며.

필자의 강사 입문 초창기 시절 일이다. 교육생 삼십여 명 앞에서 진행한 생애 첫 강의에서 나는 나름대로 만족한 강의를 펼쳤다. 별로 떨지도 않았고 준비한 내용도 충분히 잘 전달했다고 자평했다. 수강생들의 강의만족도 평점도 그런대로 나쁘지 않았다. 나 스스로 강의에 숨은 재능이 있다고 '자뻑'했던 첫 경험이었다. 강사로서 이런 경험이 자신감을 불러일으켜 줬다는 긍정적 측면도 있지만, 강의가 별것 아니라는 오만함도 같이 심어줬다는 부작용을 한참 한참 뒤에야 나는 알게 되었다.

이렇게 첫 강의에서 자신감을 얻은 나는 다음 강의에 더욱 욕심이 생겼다. 얼마 후 이어진 두 번째 강의에서 나는 강의 시간 안에 소화 불가능할 정도의 많은 내용을 준비했다. 그것이 내 이야기를 귀담아들어 주는 교육생에 대한 예의며 의무라고 나는 생각했다. 강의 분량의 많고 적음과 유익함은 별개라는 사실을 그때는 미처 알지 못했다. 그렇게 맞은 두 번째 강의 날, 나는 많은 내용을 전달해야 하는 의무감과 강사로서 소명을 다한다는 벅찬 마음으로 그날 열강했다. 열강이라기보다 속사포 난사였다. 내게 주어진 숙제를 빨리 처리해야 한다는 강박에 교육생과의 소통은 애초부터 생각조차 안 했다. 그날 강의 종료 후 나는 대중 연설에 능한 정치인의 기질이 있지 않나 착각할 정도로 뿌듯함을 느꼈다. 마침 그날 강의 증빙을 남긴다면서 동료인 보조강사가 나의 강의 모습을 핸드폰 영상으로 약 삼 분 분량으로 찍어 주었다. 그날 강의 후 내가 강의하는 영상을 모니터링하면서 나는 충격을 금치 못했다. 마치 유튜브에서 1.5배속으로 말하는 것처럼 너무 빠른 말 속도와 입을 크게 벌리지 않고 우물우물 웅얼거리는 발음에 내가 하는 말임에도 도저히 알아듣기 힘들었다. 내 영상을 보는 짧은 삼 분이 마치 세 시간처럼 길게 느껴졌다. 교육생이 듣든지 말든지 강사인 나는 내 말만 하고 강단에서 내려온다는 기세였다. 손발이 오그라들어 끝까지 보기 힘들었다.

그때를 계기로 나는 화법 연습에 몰입했다. 거울을 보며 입을 크게 벌리고 발음하는 법과 천천히 또박또박 말하는 법을 익혔다. 녹음이나 녹화를 해가며 내가 말하는 모습을 모니터링했다. 강사로서 좋은 목소리는 아니지만, 어느 정도 훈련을 거치면 교육생이 들어줄 만한 수준은 된다는 점을 그제야 깨달았다. 정치인 같은 달변이 강사의 필요조건이긴 하나 충분조건은 분명히 아니다. 말이란 결국 의사전달의 수단일 뿐이다. 내가 가진 목소리와 음의 고저 혹은 발성과 발음 억양과 말의 속도 등으로 전하려는 내용이 어떻게 변할 수 있는지 그때 알게 되었다. 이렇듯 제3자가 되어 나의 강의를 직접 들어보는 시도는 매우 중요하다. 강단에 서면 희한하게 강사인 나만 모른다. 프로 강사라면 누군가로부터 내 모습을 피드백 받거나 스스로 모니터링을 통해 나의 부족한 부분을 반드시 보강하여야 한다.

필자도 동료 강사나 다른 강사의 강의를 종종 듣는다. 같은 강사로서 그분들의 강의에 아쉬운 점이 있지만, 내가 일일이 그런 점을 그분들에게 피드백하지 않는다. 자존심 강한 강사에겐 나의 어설픈 피드백이 혹여 실례가 되거나 오히려 안 하느니만 못한 결과를 낳기도 하니 굳이 긁어 부스럼을 만들지 않는다. 나만 그러지는 않는 것 같다. 상황이 이러니 한 번 강단에서 실수하는 강사는 강단에서 그런 나쁜 패턴을 반복하게 된다. 시간이 지나면 이런 단점이 고착화 된다.

강사는 강의만족도 평가에 민감해야 한다. 혹자는 그런 것까지 일일이 신경 쓰면 스트레스 받아서 강의 오래 못한다고 말하는 분들도 있다. 필자는 그렇게 생각하지 않는다. 90%의 수강생이 내 강의에 만족해도 불편해하는 10%가 있다면 그분들의 지적이나 의견에 귀 기울여야 한다. 당장 불편해도 이점을 지속 지켜나가면 일신우일신하는 강사가 된다는 점을 필자는 경험을 통해 안다. 이런 이유로 강사 역량 향상 과정 같은 프로그램을 강의할 때 나는 항상 교육생이 직접 시연 강의하는 시간을 따로 둔다. 핸드폰 영상으로 교육생 시강 모습을 찍어서 모니터링하는 기회도 제공한다. 퍼실리테이팅 교수 기법에서 언급했듯이 교육 참여자의 직접 경험을 통해 얻는 자각이 가장 좋은 교재다.

Part 02

전달기법_
같은 강사라도 클래스는 다르다

1. 프로라면 반드시 알아야 하는 강의에 대한 올바른 이해

프로 강사와 아마추어 강사를 가르는 기준을 딱 하나만 고르라면 필자는 '나의 강의를 듣는 사람은 누구인가?'를 아는지 모르는지다. 그만큼 청중을 배려하는 강사가 진정한 프로라고 나는 생각한다. 청중이 청년층이라면 그들의 언어와 사례를 사용하고, 나이 지긋한 중장년 대상이라면 또 그에 맞는 내용과 강의 기조를 이어 나가야 한다. 강의 주관 기관에 의해서 의무적으로 참여하여 수강 동기가 낮거나 아예 마음을 닫고 있는 교육생이라면 강사는 그날 강의 내용 전달보다 청중과 공감대 형성과 눈높이 먼저 맞춰야 한다. 당연한 사실이지만, 그간 필자가 경험한 강의 현장에서 이 기본 중의 기본을 잘 실천하지 못하는 강사를 많이 봤다. 청중의 프로필을 무시하고 공감할 수 없는 강사 자신만의 이야기만 늘어놓거나 혹은 누가 시켜서 억지로 강의하는 것 같은 느낌으로 시간을 보내는 강사가 매우 많았다. 개념 있는 강사는 강연과 강의의 차이점을 잘 안다. 강연은 말하는 사람 중심으로 이루어지고, 강의는 학습자 위주로 진행한다. 강의 의뢰를 받은 강사가 그 자리에서 학습자를 무시하고 혼자 잘난체하는 강연을 하면 안 된다. 강연은 훗날 내가 나이도 들고 잘나가서 유명 인사가 되었을 때 얼마든지 하시라고 말씀드린다.

필자는 직장생활 시절 업무 특성상 외부 강사를 섭외할 일이 잦았다. 강사 섭외할 때 대체로 기존에 알고 있는 강사를 섭외하거나 지인의 소개를 받는 경우가 일반적이지만, 때로는 인터넷 검색을 통해 일면식이 없는 강사를 섭외할 때도 있다. 처음 접하는 외부 강사 섭외 과정에서 그 강사의 강의력이나 청중의 만족도 결과를 미리 유추해 볼 수 있는 방법이 자연스레 생기게 되었다. 그 방법이란 간단하다. 강의 대상이 누구인지 대략 어떤 프로필을 가진 청중이며 그들이 강의에서 얻고자 하는 것이 무엇인지를 꼼꼼히 물어보는 강사가 대체로 유능한 강사다. 나의 강의를 들을 청중이 누구며(who) 강의를 통한 그들의 요구 사항(why)을 알고 강의에 임하는 것과 그렇지 않은 것의 차이가 곧 프로와 아마추어를 가르는 기준이라고 생각한다.

» 성인학습자의 이런 특성을 모른다면 초보 강사

교육생으로 참여한 미성년자 아닌 성인학습자의 특성은 대략 이렇다. 필자가 경험했던 사실을 아래에 순서대로 나열한다.

1) 강의에 집중하는 시간은 기껏 10~15분 내외.
 : 쉬는 시간 종료 시각 꼭 지킬 것.
 중간에 주의를 환기할 내용을 담을 것.
2) 의외로 주입식 혹은 일반 강의식 교수법을 싫어한다.
 : 부담 가지 않는 선에서 적절한 참여식 강의 방법 도입이 필요하다.
3) 성인학습자는 자신의 경험을 표현하고 싶어 한다.
 : 기본적으로 그들은 아는 것이 많은 사람이다.
 판을 잘 깔아주면 어느 순간 봇물 터진다.

4) 자신만의 기준을 가지고 있다.

: 강의만으로 그들을 동기 부여하기 힘들 수 있다.
이래서 강사가 힘들다.

5) 강사뿐만 아니라 학습자끼리도 서로 배운다.

: 조나 팀을 짜서 서로 의견을 주고받거나
아이디어를 내는 참여식 수업이 유용하다.

6) 비자발적 강의 참여자도 있다는 사실을 강사는 알아야 한다.

: 강의 초입에 이 강의를 왜 들어야 하는지를 명확히 하는 학습목표 설명이 매우 중요하다.

7) 이론이나 지식 전달보다 실질적이고 경험적인 내용을 원한다.

: 강사의 경험에서 우러나는 스토리텔링에 그들은 더욱 집중한다. 남 이야기 아닌 현실적인 이야기에 더 공감한다.

8) 수강생은 스스로 똑똑하다고 느낀다.

: 강사가 교육생보다 지적으로 우월하다는 인식은 절대 하면 안 된다. 그렇다고 너무 겸손한 저자세도 좋지 않다. 당당하되 거만하지 않게, 겸손하되 비굴하지는 않게.

성인학습자의 위와 같은 특성 때문에 교육심리학에서 켈러의 ARCS 이론(Keller's ARCS theory)이 등장한다. 고전 이론이지만, 학습자 동기유발 요소 설명에 아직 유용한 이론이다. 학습자의 동기유발을 위해 다음 네 가지 요소를 약자를 따서 ARCS라고 명명한다. ARCS는 각각 주의(Attention), 관련성(Relevance), 자신감(Confidence), 그리고 만족감(Satisfaction)이다. 강의는 교육생이 집중(A)할 수 있도록 재미와 호기심을 갖추어야 한다. 교육생과 직간접적 관련성(R)이 있어야 강의에 더 집중하게 된다. 교육생의 수준에 맞고 수강하면 강사가 말하는 학습목표를 달성할 수 있는 자신감(C)이 있어야 한다. 마지막으로 강의 수강 후 교육생에게 만족감(S)이나 심리적 보상이 있어야 좋은 강의가 된다. 앞서 좋은 강의의 3요소를 재미와 유익함과 실천가능함이라고 언급했다. 켈러의 ARCS 이론과 좋은 강의의 3요소가 대체로 부합한다.

2. 강사로서 나의 모습 셀프 체크리스트

참고로 강사 체크리스트와 강의 체크리스트 두 가지를 아래에 제시한다. 강사 체크리스트는 25문항 4점 척도, 강의 체크리스트는 20문항 5점 척도로 각각 100점 만점이다. 스스로 진단해 보고 100점 만점에 몇 점이 나오는지 현재 나의 위치를 확인하면 좋겠다. 전국고용서비스협회에서 진행한 '성공적 강의를 위한 효과적 전달기법'이라는 강사 역량 향상 과정 프로그램 중에 나온 내용을 참고했다. 절대적 기준이 아닌 단순 체크리스트라서 행여 낮은 점수가 나오더라도 마음 상할 필요는 없다.

1) 강사 체크리스트 (4점 척도)

항상 그렇다 : 4점
자주 그렇다 : 3점
가끔 그렇다 : 2점
아니다 : 1점

1. 강의 준비 전 교육 목적과 배경을 확인한다.	
2. 강의 준비 전 교육생의 기대를 조사한다.	
3. 강의를 위해 사전에 강의 계획을 수립한다.	
4. 강의를 위해 자세한 교안을 쓴다.	
5. 강의할 때 3가지 이상의 교수 방법을 활용한다.	
6. 도입 - 본론 - 결론 형태의 강의 구성을 계획한다.	
7. 교육생의 주의를 집중시키며 시작한다.	
8. 강의 초반에 학습목표와 개요에 대해 설명한다.	
9. 강의시 교육생과 지속적인 상호작용을 이끌어낸다.	
10. 강의하는 동안 교육생의 행동을 조정한다.	
11. 말하는 동안 몸이 긴장되지 않는다.	
12. 말하는 동안 목소리가 떨리지 않고 안정적이다.	
13. 상황에 맞춰 목소리 완급을 조절한다.	
14. 표현의 강조를 위해 목소리의 크기를 조절한다.	

15. 강의할 때 번호를 매겨(개조식 설명) 설명한다.	
16. 요점 정리하고 강조하는 데 시각자료를 이용한다.	
17. 시각자료는 단순하고 읽기 쉽다.	
18. 교육생과 눈길을 마추치려고 의식적으로 노력한다.	
19. 자연스러운 제스처를 사용한다.	
20. 질문을 예상하고 답변을 연습한다.	
21. 적절한 단어를 구사한다.	
22. 교육내용 요약과 맺음말을 하고 강의를 마무리한다.	
23. 쉬는 시간 종료 시간 등 강의 시간을 지킨다.	
24. 미리 강의 연습을 한다.	
25. 녹음이나 녹화를 하면서 연습한다.	

2) 강의 체크리스트 (5점 척도)

항상 그렇다 : 5점
자주 그렇다 : 4점
보통이다 : 3점
가끔 그렇다 : 2점
아니다 : 1점

1. 명확하게 서론-본론-결론으로 구성되었나.	
2. 도입시 교육분위기를 조성하고 주의집중을 하였는가.	
3. 본론시 지속적으로 흥미를 유발하는가.	
4. 결론시 핵심을 요약하고 효과적으로 끝맺음을 하는가.	
5. 강의자료는 이해하기 쉽게 효과적으로 만들었는가.	
6. 강사가 교육 내용을 명확하게 숙지하고 있는가.	
7. 교육생에게 이해하기 쉽게 내용을 전달하는가.	
8. 강의 전반에 걸쳐 교육생의 참여를 유도하는가.	
9. 효과적인 스토리텔링을 활용하는가.	
10. 핵심 포인트 등 중요한 사항에 대해 강조하는가.	
11. 시청각 자료를 효과적으로 사용하는가.	
12. 교육 기자재를 효과적으로 사용하는가.	
13. 교육 목적 등 목표를 명확하게 제시하는가.	

14. 강의에 열의와 자신감이 느껴지는가.	
15. 시간 조절은 적절하며 강의 시간을 준수하는가.	
16. 용모나 복장이 강사로서 적절한가.	
17. 억양, 발음, 말의 속도나 강약이 정확한가.	
18. 아이컨택(eye contact)은 적절한가.	
19. 강단 내 공간이동은 적절한가.	
20. 제스처를 적절하게 사용하는가.	

3. 성공하는 강의는 처음과 끝이 중요하다

인지심리학이나 교육심리학에서 자주 회자되는 단어다. 초두효과(Primacy Effect)와 최신효과(Recently Effect). 초두효과는 앞부분에 입력한 정보가 나중에 습득한 정보보다 더 강한 영향력을 발휘한다는 개념이다. 사람의 첫인상이 오래가는 것으로 이해하면 쉽다. 최신효과는 초두효과의 반대 개념으로, 마지막에 제시된 메시지가 더 영향력이 있거나 기억에 오래 남는다는 점이다. 그래서 강의는 처음과 끝이 중요하다. 강단에 서자마자 간단히 자기소개만 한 후 '지금부터 강의를 시작하겠습니다'라고 시작하면 안 되는 이유다. 강의를 마칠 때에도 시간에 쫓겨 '이상으로 마칩니다. 감사합니다'로 영혼 없이 마무리하지 말자. 교육생에게 인상 깊은 강의를 하려면 어떻게 시작과 끝을 준비하는지 알아보자.

» 들을 것인가, 말 것인가. 성공하는 강의는 시작이 절반이다

손님에게 정중히 음식을 대접해야 하는 자리라면 호스트는 많은 준비를 한다. 밥을 짓고 뜸을 들이고 반찬을 식탁에 가지런히 놓고 수저도 챙긴다. 전채요리와 마실 물도 미리 준비한다. 허기를 메우기 위해 대충 혼자 먹는 밥이라면 모를까, 호텔 연회장 같은 장소에서 귀한 사람을 모시고 식사하는 자리라면 나름의 사전 준비가 필요하다. 강의도 마찬가지다. 대충 허기를 때우는 밥처럼 그런 허술한 강의란 있을 수 없다. 강사에겐 매 강의가 호텔 연회장에서의 정찬이다. 혼자만의 강의가 아니기 때문에 강사는 참여한 교육생을 배려해야 한다.

본격적으로 본론으로 들어가기 전에 뜸을 들이는 시간을

'구조화 작업'이라고 말한다. 청중의 주의를 집중시키고, 너무 겸손하지도 과한 자만도 아닌 말할 자격이 있는 사람이라는 적절한 강사 소개와, 왜 이 강의를 여러분이 들어야 하는지 강의 초입에 학습목표를 분명히 밝힌다. 강의 내용과 시간은 어떻게 구성했고, 어떤 방식으로 강의를 진행하는지 참여한 교육생에게 대략 알려야 한다. 이 과정에서 교육생의 경계심을 풀 수 있는 적절한 아이스브레이킹(icebreaking) 기법도 적용한다. 이는 가전제품을 쓰기 위해서 제품에 전원을 연결하는 행위와 같다. 강의 초반 아이스브레이킹은 레크리에이션(recreation) 강사처럼 퀴즈나 게임 같은 것이 아니라도 무방하다. 참여한 교육생으로부터 공감을 불러일으키며 그날 강의 주제와 연관한 간단한 이야기나 강사가 경험한 에피소드도 좋다. 혹은 그날 뉴스 기사 등에서 오늘 강의 주제와 연관할 만한 소재를 찾아 이야기를 풀어가도 좋다. 초반 아이스브레이킹 활동에서 중요한 것은 주의 환기와 함께 강의 주제와의 연관성이다. 강의 주제와 전혀 무관한 날씨 이야기나 궁금하지도 않은 교육생 안부를 물어보거나 강의장 올 때 차가 막혔다는 따위의 그날 강의 내용과 전혀 무관한 사담은 안 하는 것만 못하다. 그렇다고 레크리에이션 강사처럼 강의실 분위기를 띄우려 처음부터 강의 주제와 무관하고 과한 아이스브레이킹 기법도 권하지 않는다. 미리 준비한 것 같은 정형화된 문구 언급도 아마추어스럽다. 간단한 이야기든 퀴즈든 질문이든 여러 기법을 쓰되, 조금이라도 그날 강의와 연관성이 있도록 구성하면 좋다. '아하, 이래서 강사가 이런 이야기와 활동을 하는구나'라고 참여자가 자연스럽게 이해하면 성공이다.

강의 도입부의 자연스러운 구조화 작업으로 학습자는 경계심을 풀고 '이 강의 들어볼 만하겠다'는 동기가 생긴다. 필자는 강의 초반부 시작하는 말을 미리 준비하지 않는다. 당일 강의장 가는 길에 어떤 소재로 강의 시작하면서 운을 띄울까만 고민한다. 막상 강의실에 들어서서는 동네 이웃 만난 것처럼 사전 연출 없이 자연스럽게 오늘 주제와 연관하여 이야기를 풀어가거나 주의를 환기할 수 있는 질문이나 퀴즈 등으로 초반을 풀어나간다.

» BEAF 기법 기반 학습목표 설정법

강의 도입부 구조화 작업에서 가장 비중 있는 부분은 단연 학습목표 설명이다. 이는 강사가 강단에 선 목적이며, 교육생이 이 강의를 들어야 하는 이유이기도 하다. 강의 초반부에

이만큼 중요한 절차가 있을까. 교육생 자격으로 필자도 많은 강의를 들었지만, 학습목표 제시를 제대로 하는 강사는 별로 본 적이 없다. 그들이 학습목표 설정을 그다지 중요하게 생각하지 않아서 그럴 수도 있다. 학습목표는 강의와 강사의 존재 가치며 수강생의 동기부여의 결정적 역할을 한다.

학습목표 작성 원칙_행위동사

학습목표는 행위동사로 표현할 수 있어야 한다.

- 지식(Knowledge) : 설명할 수 있다.
- 기술 (Skill) : 조작할 수 있다, 사용할 수 있다.
- 태도 (Attitude) : 보여줄 수 있다.

권장 행위동사 (구체성)	비권장 행위동사 (모호성)
설명하다, 수립하다, 해결하다 조립하다, 분류하다, 분석하다	알다, 생각하다, 이해하다 함양하다, 배양하다, 고취하다

[참고 : 전국고용서비스협회 주관 [성공 강의를 위한 효과적 강의 전달기법] 2022.08]

바람직한 학습목표는 반드시 행위 동사로 표현할 수 있어야 한다. 학습목표 설정의 ABCD가 있다. 학습대상(Audience), 행위(Behavior), 조건(Condition) 그리고 수준(Degree)이다. 즉, '학습대상자 누구(A)는 어떤 조건(C)이나 상황에서 어느 수준(D)으로 문제를 해결할 수 있다(B)'로 설명하는 것이 바람직하다. 그중 가장 중요한 요소는 행위(B)다. 학습목표는 앞서 언급한 대로 행위동사로 표현이 가능하도록 설정한다. 앞서 좋은 강의의 세 가지 요건 중 세 번째인 실천가능성과 연관한다. 가령, 이 강의를 수강 후 우리는 무엇무엇을 실무에 적용할 수 있다, 문제를 해결할 수 있다, 분석할 수 있다, 대처할 수 있다, 사용할 수 있다 등이다. 가능한 구체성을 띄는 행위동사면 좋다. 이해할 수 있다나 배양할 수 있다 고취할 수 있다 등의 추상적 단어 사용은 그리 추천하지 않는다.

학습목표 제시_수강 혜택과 가치 먼저 보여주기

인생 다모작 연구소

마케팅 세일즈 촉진 기법 : FAB기법 ≫ BEAF 변형 기법

- FAB (Feature, Advantage, Benefit) : 특징, 이익, 혜택(가치)
- E(Evidence) 추가 : FABE
- 노출 순위 변경 : BEAF

: 이 강의(상품)가 교육생에게 어떤 가치(메리트, 혜택)가 있는지 먼저 보여주는 것 중요
AIDMA 기법 유사_주의(Attention)와 흥미(Interest) 먼저

학습목표를 제시할 때 또 하나 중요한 사항이 있다. 세일즈 마케팅의 고전 기법인 FAB 기법 순서를 변용한 'BEAF 기법'이다. 좋은 강의는 수강자 혜택(Benefit)을 먼저 강조한다. 전통적으로 상품 판매에 있어서 제품의 특징(Feature)-장점(Advantage)-구매시 얻을 이익이나 혜택(Benefit) 순서로 노출한다. 너무 많은 비슷한 부류의 상품이 쏟아져나오는 지금 시대는 다르다. 이 강의(상품)를 들으면 내게 어떤 혜택이 있는지를 먼저 알려야 참여자 동기부여에 효과가 있다. 그래서 학습목표를 행위동사로 표현한다. 행위동사 자체가 수강생이 얻을 이익이다. 참고로 BEAF의 E는 증거(Evidence)다. 강의 중 학습목표를 제시할 때 과거에도 이런저런 혜택이 있었다고 증거까지 제시할 필요는 없다. 거기까지 나아가는 것은 좀 과한 것 같다. 자칫 약장사라는 소리 들을 수도 있겠다.

» 아마추어는 '감사합니다'로 강의를 마무리한다

필자의 초보 강사 시절, 나는 준비한 강의 내용의 진도를 맞추는 것에 열중했다. 그날 준비한 강의 자료를 다 발표(강의가 아닌 발표?)하고 나서 '이상으로 강의를 마칩니다. 감사합니다'로 끝내야 그날 강의를 잘한 것으로 착각했다. 지금 생각하면 대단한 착각이다. 강의 종료 시각이 다가오면 조바심에 시계를 봐가며 정해진 진도를 맞추기 위해 거의 1.5배속으로 말하기도 했다. 초보 시절엔 내용 전달 욕심만 많아서 항상 시간이 부족했다. 강단에서 많은 정보를 주는 것이 유익한 강의라고 착각했던 시절이었다. 재차 언급하지만, 강의는 나만 아는 지식 전달이라기보다 기존의 내용을 종합하고 정리해서 강사의 새로운 시각이나 통찰(insight)을 전하는 행위다. 교육생의 눈높이가 남달라진 만큼 좋은 강의는 양보다 질적 우위를 꾀해야 한다.

강의 시간 관리나 내용 분량 조절 측면에서 프로 강사의 운영 방식은 다르다. 경험 많은 강사는 강의 마감 시점에도 위에 언급한 최신효과처럼 강의 마무리에 신경 쓴다. 최악의 강사 중 하나는 쉬는 시간과 종료 시각을 맞추지 못하는 강사다. 과거 초보 시절의 필자처럼 그저 진도 맞추기에 급급하여 여러 실수를 범했다. 정보의 양과 유익함은 분명 구분해야 한다. 정해진 강의 종료 시각 이후에 하는 강사의 말은 교육생 귀에 들어오지 않는다. 그러니 처음부터 강의 내용 분량을 적절히 조절하는 것이 필요하다. 차라리 시간이 좀 남으면 질문을 받거나 조금 일찍 마치면 된다. 강의 내용의 질을 떠나서 조금 일찍 마치는 강의가 종료 시각을 넘기는 강의보다 훨씬 교육생 만족도가 높다. 많은 내용이라도 전할 내용을 단순화하는 일이 프로 강사의 실력이다. 5분 분량의 내용을 50분으로 늘이는 일은 쉽지만, 50분 분량의 내용을 5분 안에 끝내는 것은 어렵다고 윈스턴 처칠(Winston Churchill)이 이야기한 바 있다.

강의 마무리 시점에 프로 강사라면 최신효과 관점에서 꼭 짚어야 할 점들이 있다. 일단 교육생에게 그날 강의 내용의 완결감을 주어야 한다. 정찬 후 물을 안 마시면 기분이 어떨까. 강단에 선 강사가 그날 전했던 메시지를 첫째 둘째 셋째 등의 개조식 화법 또는 자신만의 방식으로 결말을 요약한다. 이 과정에서 '너도? 나도!' 같은 게임이나 그날 강의했던 내용의 기억을 되살리는 목적으로 퀴즈나 질문 등의 마무리 활동을 하면 좋다. 또는 강의 중 강사가 언급했던 특정 사례나 예시를 재차 강조하여 전하고자 하는 메시지를 다시 부각하는 방법도 있다. 이를 앵커링 효과(Anchoring effect)라고 한다. 그날 강의 주제를 머금고 있는 짧은 영상이나 유명 인사의 명언으로 마무리하는 것도 권할 만하다. 이때 영상물의 재생 시간은 최대 삼 분이 넘지 않도록 짧고 임팩트 있는 것으로 준비한다. 그 이상 길면 교육생 집중력이 흐트러져 자칫 역효과가 날 수 있다. 아무튼 시간에 쫓겨 급하게 '강의를 마칩니다. 감사합니다'로 마무리하지 말기를 바란다. '감사합니다', 'Thank You', 'The End' 같은 영혼 없는 슬라이드 장표도 굳이 준비하지 말자. 좀 구차해 보이지 않는가. 좋은 강의를 들었으면 교육생이 감사할 일이다. 하나 마나 한 그런 마무리 장표보다 차라리 유명인의 어록이나 짧은 영상 등으로 마무리하면 좋지 않을까.

4. 스토리텔링을 모르는 강사라면

김만중이 그 옛날에 소설 [구운몽]을 썼을 때부터 우리는 이야기를 갈망한다. 매번 비슷한 주제와 소재를 다루는 식상한 TV 드라마도 보는 매체나 플랫폼만 변할 뿐이지 영원히 사라지지 않는다. 이것이 이야기의 힘이다.

스토리텔링 기법은 교육생에게 전하려는 메시지를 생생한 이야기로 전달하는 강의 기술이다. 강사 자신이 경험한 이야기나 아는 지인의 이야기 혹은 책이나 인터넷에서 본 이야기 등 어떤 경로로 알게 된 이야기라도 무방하다. 강의에서 스토리텔링 기법은 강의 내용의 현실감과 설득력을 더해 준다. 비슷한 주제에도 강사만의 독창성을 부여하여 참여자가 강의에 몰입하게 만드는 효과가 있다. 그러면서 자연스럽게 강사와 교육생 간의 공감대가 형성되고 강의 참여자는 강사에 대한 신뢰감이 쌓인다.

세상을 바꾸는 시간 15분(세바시)과 포프리쇼에서 자신을 알리고 지금은 유튜브 채널 '김창옥TV'로 대중에게 널리 알려진 김창옥 강사의 강단에서의 주무기는 단연 스토리텔링과 미괄식 강의 구성이다. 강단에서 전하려는 주제를 맨 마지막에 넣는 미괄식 구성은 어느 강사라도 난이도가 높은 고급기술이다. 강연이 아닌 대부분의 강의는 학습목표(두괄식)를 먼저 던져두고 강사가 전하려는 메시지를 하나하나 서술해 나가는 방식을 택한다. 강의나 강연의 성격마다 다르겠지만, 김창옥 강사는 난이도 높은 미괄식 구성법을 쓰는 데는 그가 가진 강점 덕분이다. 그 강점이 바로 대중의 공감을 자아내는 스토리텔링이다.

» 메시지 전달에 있어서 스토리텔링의 예상치 못한 효과

김창옥 강사는 감수성이 예민하신 분 같다. 그는 이야기의 소재를 주로 자신의 어렸을 적 기억에서 찾는다. 힘들었던 가족과의 갈등 문제, 어렸을 적 살았던 제주의 풍경, 자신의 열등감, 개인의 진로 갈등, 이웃과의 소통 문제 등등. 그다지 특별한 것 없는 평범한 소재와 에피소드로 이야기를 시작해서 결국 본인이 전하려는 묵직한 메시지와 결부시킨다. 청중은 처음엔 '뭐지?' 하고 듣다가 결말에 이르러 '아하~' 하며 여운 짙은 카타르시스를 느낀다. 김창옥 강사 스스로 자신의 이런 스토리텔링(storytelling) 강의 방식을 강의 처음의 소재와 끝의 주제가 일치한다며 '수미쌍관(首尾雙關)' 방식이라고 말한다.

비유나 사례를 들어서 개념이나 현상을 설명하면 이해가 쉽다. 강사에게 스토리텔링은 일종의 비유며 사례다. 더 오래도록 청중의 기억에 남을 수 있는 앵커링 효과(Anchoring Effect)를 극대화하는 기법이기도 하다. 강사에게 가장 좋은 이야기는 자신의 경험이다. 혹은 강사 지인으로부터 전해 들은 이야기라도 억지로 꾸며낸 듯하지 않고 진실성이 있으면 좋다. 반면, 일반인과 동떨어진 성공한 유명인만의 특별한 이야기는 현실감이 다소 떨어진다.

강의에서 스토리텔링 기법은 교육생에게 여러 긍정적 효과가 있다. 그저 그런 흔한 강의 주제도 강사만의 특별한 이야기가 가미되면 독창적인 강의 교재가 된다. 전하려는 메시지에 이야기가 덧붙여지면 정서적 설득력이 더욱 높아진다. 흥미 유발이나 주의 집중에도 유리하니 개념 이해도 쉽다. 김창옥 강사처럼 평범한 소재에서 시작하는 이야기에서 우리는 공감대를 형성하고 강사에 대한 신뢰도 쌓인다. 강사의 평범한 이야기가 곧 나의 이야기일 수도 있기 때문이다.

중년 퇴직 후 진로 문제를 주로 강의하는 필자는 간혹 나의 전직(轉職) 이야기를 한다. 실패담이든 성공담이든 상관없다. 이직이나 전직에 실패한 이야기는 그 나름의 교훈이 있고, 성공했던 경험은 교본이나 기준으로 삼을 수 있어서 좋다. 중년 전직지원 시장이 향후 어떻게 흘러갈 것이며 생애설계를 어떻게 해야 하고 마크 프리드먼(Marc Freedman)이 제시한 앙코르 커리어(Encore Career)의 개념을 어떻게 실천해야 하는지 등을 딱딱하게 강의하면 수강생은 곧 잠을 청하거나 핸드폰을 만지작거린다. 그런 지식 전달 주입식 방식보다 중간중간에 평범한 중장년 당사자인 내가 경험했던 인생다모작 설계 관련 경험담을 가미한다면 교육생에게 더욱 현실감 있게 다가온다. 이것이 스토리텔링의 힘이다.

그런데 여기서 한가지 유의사항도 있다. 그것은 바로 과유불급(過猶不及)이다. 언젠가 교육생 자격으로 나의 강의 주제와 관련하여 다른 강사의 강의를 들은 적이 있다. 다른 강사의 강의를 듣는 것도 강사에겐 역량향상 과정 중 하나다. 그때 수강했던 내용 중 꽤 거슬리는 점이 있었다. 강사의 강의 내용도 좋고 준비도 많이 한 것 같은데 한가지 흠이라면 강의 중 자신의 사적인 이야기를 너무 많이 한다는 점이었다. 강의 주제와 벗어난 사담(私談)이 지나치게 많았다. 이야기 내용이 대체로 신파와 자기 자랑으로 귀결해서 더 거슬렸다. 눈물 없이 들을 수 없는 강사의 고생했던 이야기가 본인에 대한 신세 한탄이나 불공정한 세상에 대한 하소연이었고, 듣고 보니 결국 그 어려운 상황에서 자신은 성공했다며 자기 자랑으로 마무리하는 이야기라서 공감도 안 되고 듣기도 매우 거북했다. 이를 교훈 삼아 나는 강단에서 개인적 사담이나 자기 자랑은 거의 하지 않는 편이다. 스토리텔링 명분으로 하필 강사 본인 자랑이나 사적인 신세 한탄 같은 것은 듣기 좋지 않다. 무엇이든 지나침과 모자람의 경계선을 지키기가 어렵다. 스토리텔링은 유용한 강의법 중 하나지만, 횟수나 분량이 너무 잦고 길거나 지나치게 사담 섞인 내용이라면 오히려 역효과가 날 수 있음을 기억하자.

자신만의 이야기를 찾기 어렵다면 여러 가지 동영상이나 이미지 등으로 대체가 가능하다. 영화나 드라마 속 한 장면이나 그날 강의 주제와 연관하여 설명할 수 있는 어떤 콘텐츠라도 좋다. 강사는 매사에 자신의 강의 주제를 부각할 다른 콘텐츠에 눈과 귀를 열어두어야 한다. 책에 나온 내용이든 유튜브 영상이든 다른 사람 강의든 안 가본 곳으로의 여행이든, 무엇이든 여러 정보원을 곁에 두고 내게 필요한 내용과 힌트가 있다면 이를 메모해두는 습관을 들이면 어떨까. 생각이나 아이디어가 떠오르지 않을 때는 산책을 하거나 평소 안 하던 일을 해보자. 학계에서 효과가 검증된 '브루윙 효과(Brewing effect)'라고 있다. 반복적으로 가볍게 몸을 쓰면서 자신을 스스로 낯선 환경에 처하게 할 때 신박한 아이디어가 떠오르곤 한다는 이론이다. 필자는 설거지를 하거나 진공청소기를 돌릴 때 혹은 가벼운 산책을 할 때 평소 고민하던 현안에 대한 참신한 아이디어가 떠오르곤 한다. 브루잉 효과의 전제 조건은 내가 요즘 고민하는 문제에 대한 해법을 찾아보라고 나의 뇌에 지속하여 숙제를 주어야 한다. 항상 그 문제를 해결할 아이디어를 찾아보려 수면 위에 나를 올려두어야 한다는 뜻이다. 그런 가운데 언젠가 환경이 바뀔 때 문득 나의 뇌가 숙제를 후딱 해버리는 신기한 경험을 맛볼 수 있다. 이것은 필자의 실제 경험이다.

» 스토리텔링에 기반한 서론-본론-결론 구성에 필요한 내용

효과적인 강의를 위한 교수 계획에서 '서본결'이라는 서론 본론 결론 구성이 매우 중요하다. 강의는 부분의 합이 아닌 전체가 한편으로 짜인 프로그램이며 연출이다. 스토리텔링 내용뿐만 아니라 강사의 언행 하나하나가 결국 강의 전체에 영향을 준다. 강사는 그날 전할 메시지를 분명히 하고 이를 기승전결 혹은 서론 본론 결론의 구성을 통해 청중에게 전한다. 결국 스토리텔링 기법이다. 서론 본론 결론에서 신경 써야 할 내용을 차례로 알아보기로 하자.

서론

- **강의 시작 전 미리 도착하기**

: 강의 기자재 상태 파악, 자리 배치 확인 (섬형(팀자리)권장).

교육생과 대화로 아이스브레이킹(icebreaking) 시작하기.

- **인사말**

: 이 강의를 수락한 동기, 당일 주제와 연관한 오프닝 멘트,

관심 유발 아이스브레이킹 활용 등 모든 활동 포함.

- **강사 소개**

: 강의 주제와 연관한 강사의 경험이나 경력을 소개한다.

강사 자기소개 시 지나친 겸손 소개 지양.

자신감 있되 거만하지 않게, 겸손하되 비굴하지 않게.

- **강의 진행 안내말**

: 쉬는 시간과 종료 시각 안내, 강의 진행방식 소개 등

강의 시작 전 구조화 작업 필요.

- **학습목표는 행위동사로 구체적으로 제시**

: 참여자가 '이 강의 들어볼만 하겠다'는 느낌을 받을 수 있는

실천가능한 행위동사로 학습목표 제시.

- **초두효과(Primacy Eeect)**

: 앞부분에 제시된 내용이 기억 인출에 더 유리하다.

강의 도입부는 조금 더 신경 써서 준비한다.

본론

- **메시지 전달 방식**

: 두괄식 vs 미괄식 결정하기,

일반적으로 강의는 두괄식, 강연은 미괄식.

첫째, 둘째, 셋째 등 순서를 매겨 설명하는 개조식 표현법

슬라이드 장표 작성시 언어의 시각화를 항상 고려하기.

글자 많은 장표 지양. 가독성 고려.

- **다양한 참여 기법(facilitating)실시**

: 질문, 발표, 실습, 공감하기, 경청하기 등 다양한 참여기법

활용하기.

성인학습자는 의외로 주입식 강의를 싫어함.

- **스토리텔링 기법 활용**

: 예시(사례), 경험담, 비유, 동영상 外 다양한 방법 활용하기.

강의 내용과 동떨어진 강사의 지나친 사담은 지양할 것.

- **적정 시점에 주의 환기를 위한 스팟(spot) 활용**

: 퀴즈, 유머, 재밌는 영상 등.

- **신비의 숫자 3과 7을 기억할 것**

: 숫자 3은 단순함의 마지막, 복잡함의 시작

(개조식 설명시 활용).

숫자 7은 청크(데이터의 집합), 한 페이지에 일곱 줄 이상

나열하지 말 것. 기억에 불리.

결론

- **강의 완결감을 위한 강의 내용 요약 필요**

: Remind Quiz, 질문, 개조식 설명 등.

- **강의 종료 시각 반드시 준수할 것**

: 끝낼 때는 미련없이 끝내기.

'마지막으로', '끝으로.' 같은 종료 기대감을 주는 말 지양

- **짧은 특강 아닌 장시간 강의 시 앵커링(Anchoring)을 통한 강의 마무리**

- **강의 주된 메시지 강조(재전달) 필수**

: 짧은 영상, 명언(유명 어록), 관련 사진 등 활용.

영혼 없는 '감사합니다'로 강의 마무리 하지 말 것.

- **최신효과(Recently Effect)**

: 초두효과의 반대 개념.

마지막 메시지가 기억에 오래 남는다는 효과.

최신효과를 위해 강의 마무리에 신경 쓸 것.

5. 강사라면 반드시 알아야 하는 언어적 비언어적 스킬

필자의 강사 초보 시절 나는 동료에게 내가 강의하는 모습을 점검하고자 약 삼 분 정도 핸드폰 영상으로 찍어달라고 부탁했다. 강의 후 내가 강의하는 영상을 직접 보니 손발이 오그라들었지만, 그것이 나의 강의 내용 전달력 향상의 전환점이 되었다. 초보 시절 나는 발음할 때 입을 많이 벌리지 않았다. 말의 속도도 유튜브 영상을 1.3배속이나 1.5배속으로 보는 것처럼 매우 빨랐다. 입을 많이 벌리지 않고 발음하니 우물우물하는 것처럼 들렸고 게다가 말의 속도까지 빨라서 듣는 사람이 내가 하는 말의 내용을 이해하기 쉽지 않겠구나며 깊이 반성했다. 강단에 선 자세도 앞으로 고개를 숙인 거북목으로 청중이 보기 불편했을 것으로 생각한다. 발바닥은 지면에 닿은 후 전혀 움직이지 않았다. 내 강의 영상을 스스로 보지 못했다면 평생 몰랐을 사실이었다. 이후 나는 강단에서 최대한 입을 크게 벌리고 천천히 또박또박 발음하려 애쓴다. 좋은 목소리가 아니라도 상관없다. 또박또박 정확한 발음이 중요하다. 허리와 목과 어깨도 꼿꼿하게 펴고자 노력한다. 무대 동선도 적절한 시점에 반대편으로 움직이곤 한다. 초보 강사라면 자신의 강의 영상을 찍어서 꼭 보기를 강력히 추천한다. 볼 때는 불편하지만, 말투나 속도 혹은 시선이나 자세 등 언어적 비언어적 표현법 관련하여 반드시 개선해야 할 점이 있다는 점을 스스로 느끼게 된다. 불편하지만 외면하지 말자. 아픈 만큼 성숙해진다.

말의 내용보다 청중에게 보이고 들리는 시청각 요소가 내용 전달력에 있어서 훨씬 더 중요하다는 '메라비언 법칙(The Law of Mehrabian)'이 존재하는 사실을 우리는 이미 안다. 입사 면접 볼 때나 강의할 때 매번 메라비언 법칙을 강조한다. 전달자의 시청각 요소가 합쳐서 93%로 영향력이 크고 언어적 요소의 영향력은 겨우 7%라는 비중까지 동의할 수 없지만, 시사하는 바는 있다. 초보 티를 벗고 프로 강사로 도약하려면 강의 내용뿐만 아니라 전달하는 방법도 신경 써야 한다. 좋은 식재료를 가지고 유명 요리사가 조리한 음식을 땅바닥에 쪼그리고 앉아서 먹는 꼴이다. 훌륭한 요리사가 맛있는 음식을 준비했다면 그에 걸맞은 식탁 의자 포크 나이프 접시 등을 갖추고 최고의 서버(server)로부터 서비스까지 받는다면 요리를 맛보는 사람의 만족도는 배가한다. 맛 좋은 음식을 차렸다면 이제 손님 앞에 내놓을 차례다. 내용 전달에 있어서 강사에겐 언어적 비언어적 기술이 모두 필요하다. 하나씩 살펴보자.

» 언어적 스킬 : 쉬운 단어, 말 습관, 속도

강사가 공중파 방송 아나운서처럼 정확한 발음과 좋은 목소리로 매번 말할 수는 없다. 그래도 발전하는 강사라면 언어적 기술 기본기만이라도 강단에서 꼭 지켰으면 좋겠다. 가령, 이런 것들이다. 우리말로 충분한데 굳이 불필요한 영어 단어를 쓰지 말자. 가령, "회사에서 우리의 골(goal)이나 디렉션(direction)은 이미 디파인(define) 되어 있는데 팀원 개개인의 모티베이션(motivation)이 부족해서 그저 콰이어트 퀴팅(quiet quitting)에 그치는 케이스(case)를 현장에서 많이 보게 됩니다" 이런 식의 말투다. 외국물 좀 먹었다고 잘난체하는 강사처럼 보일 수 있다. 알기 쉬운 단어를 쓰자는 것이다. 전문 용어도 도저히 대체할만한 우리말 단어가 없을 때를 제외하곤 가능하면 안 쓰길 권한다. 글쓰기도 마찬가지다. 최대한 단문으로 쓰고 알기 쉽게 쓴다. 글이나 말이나 마찬가지다. 유머 욕심에 비속어나 은어 혹은 채팅창에서 친구들끼리 쓰는 줄임말 같은 단어 사용도 자제해야 한다. 자칫 촌스럽고 격이 떨어져 보일 수 있다.

강의 전달 기술_언어적 스킬

언어적 스킬

- 입 크게 벌려 말하기, 우물우물 말하지 않기, 성량 고저 구분하기
- 쉬운 단어 사용, 전문용어 및 영어 단어 사용은 가려서 하기 (비속어, 은어 사용 자제)
- 나쁜 말버릇(언어 습관) 주의 ('이해 되셨죠?', '아시겠죠?', '그렇죠?', '에, 그…')
- 읽지 말고 이야기하기
- 정치, 종교, 특정 인물(인종), 지역 비하 등 민감 소재 언급 않기, 개인 저서 홍보 지양
- 탁월한 언어 스킬 : 공백(pause) 주기
  → 강조하기 직전, 청중이 생각할 시간을 줌, 결론 도출을 위해 '공백' 활용

상식이지만 특정 지역 비하 발언이나 소수 집단 차별화 발언 혹은 성차별이나 종교 정치 편향 발언 등은 절대 삼간다.

그날 강의가 혹여 잘 마무리되더라도 강의 만족도에 누군가는 그런 말이 불편했다는 수강생이 생긴다. 이러면 강사로서 아무런 실익이 없다. 모두가 내 강의를 좋아할 수 없다고 안일하게 생각하는 것은 강사 정신건강에 이로울 수 있지만, 열 명 중 단 한 사람이라도 내 강의에 불편했다면 강사는 그 원인을 알려고 노력해야 한다.

강사의 습관적인 말투도 거슬릴 때가 있다. 가령 '이해되시죠?', '아시겠죠?' 등 교육생의 이해를 강권하는 듯한 말 습관이나 '어..., 그...' 등이다. 앞서 언급한 대로 말의 속도는 반드시 1배속으로 너무 빠르지도 느리지도 않게 한다. 입은 가급적 크게 벌리고 우물우물하는 것처럼 발음하지 말자. 더 나아가서 중요한 부분에서 말의 강약을 조절하거나 때로는 중요한 부분에서 말의 공백(pause)을 두어서 역설적으로 더 강조하는 방법도 있다. 이런 언어적 기술은 지극히 상식적이다. 하지만 내가 직접 나의 강의를 녹화하여 점검해 보지 않는 이상 스스로 깨닫기 어렵다. 누구든 강사에게 개선점이 있다고 하여도 그 자리에서 솔직하게 피드백하기 꺼린다. 혹여 강의 만족도 점수가 5.0점 만점에 4.0점 이하가 나왔다면 강사로서 빨간 불이 들어온 것으로 이해해야 한다. 교육생은 그날 처음 본 강사를 배려해서 대체로 후한 점수를 주는 경향이 있다. 이것을 강사는 그대로 받아들이면 안 된다. 4.0점 이하로 나왔다면 강사는 반드시 교육 주관자에게 문의하여 어렵겠지만 부정적 평가 부분에 대하여 피드백을 받고 개선할 점은 개선해야 한다. 교육생 모두가 알고 있는 문제점을 강사 자신만 모르고 넘어가면 매년 그 강사의 수입은 서서히 줄어들게 된다.

» 비언어적 스킬 : 첫인상, 시선 처리, 동선 관리, 제스처

비언어적이란 말은 강사의 첫인상이나 복장과 태도, 강의할 때 제스처나 시선 처리 혹은 강단에서의 동선 등을 말한다. 강의 자료 만들고 내용 전달만으로도 강사는 바쁜데 이런 것까지 신경 써야 하나 반문할 일이 아니다. 무대에 선 연기자라고 생각해보자. 시나리오가 좋고 연출력이 뛰어나도 배우의 연기가 어설프면 우리는 적당히 참고 보다가 결국 채널을 돌린다. 훌륭한 시나리오를 갖추고 연출력마저 뛰어난 감독이 영화를 만들었다손 치더라도 배우가 제대로 받쳐주지 못해 흥행에 실패한 영화나 드라마가 있고 그 반대의 경우도 있다. 어차피 강단에 서기로 마음먹었으니 힘들어도 완벽함을 추구해야 한다. 혁신적인 스마트폰과 완벽했던 스티브 잡스의 프레젠테이션을 우리는 기억한다. 내용과 전달력이 조화를 이룬 모범 사례다. 멋지지 않은가.

강의 전달 기술_비언어적 스킬 (1/3)

비언어적 스킬_용모 & 복장

- 첫인상 1분이 10시간 지속, 밝은 표정, 깔끔한 용모
- 강사다운 복장
  → T. P. O.에 맞게, 유사성의 원리(색깔 맞추기), 교육생보다 한 단계 보수적 복장

Eye Contact 방법

- 1:1로 말하듯이, One sentence, One person
- 90%는 청중에게, 10%만 강의안에 시선 배분
- Z자 시선 돌리기

초두효과의 중요성을 언급한 것처럼 강사는 첫인상이 중요하다. 강의 도입부 1분간의 인상이 나머지 10시간을 좌우한다. 용모, 복장, 태도, 말투, 표정 등등. 무엇 하나라도 최상까지 아니라도 교육생으로부터 꼬투리가 잡히지 않았으면 좋겠다. 남자든 여자든 요즘은 강사 복장은 그리 중요하지 않다. 굳이 정장이 아니라도 강사라는 품위에 맞는, 강사다운 복장이면 무난하다. 내가 강사로서 독보적인 지식과 역량

을 갖춘 스티브 잡스 같은 능력자라면 반바지에 라운드 티셔츠만 입어도 무관하다. 설령 그런 능력을 내가 갖췄다고 해도 나는 적당히 예의를 갖춘 복장을 하고 강단에 설 것 같다. 정장이 아니라도 회사에 출근할 때 입는 복장 정도면 무난하지 않을까. 강사 복장은 TPO(Time, Place, Occasion)에 맞으면 무난한 것 같다. 참여자보다 한 단계 보수적으로 입으면 대체로 무난하다. 강사 복장에서 '유사성의 원리'라는 용어가 있다. 이른바 강의하는 집단을 상징하는 색과 나의 복장간 색깔 맞추기다. 만약 삼성 그룹 계열사에 부름을 받았다면 삼성그룹 로고 색깔과 같은 파란색 넥타이를 매고 가면 어떨까. 엘지 그룹에서 강의한다면 반대로 붉은 넥타이나 여성이라면 붉은 스카프를 맨다면 센스있는 강사라는 소리를 들을 수 있다. 별것 아닌 것 같지만, 이런 소소한 점에서 교육생은 강사와 동질감을 느낀다.

강사의 시선 처리(Eye Contact)는 어떻게 해야 할까.

강사가 시선을 어디에 둘지 모르거나 시종일관 한 방향만 보는 것은 바람직하지 않다. 보는 사람이 불안해 보인다. 강의실 맨 뒤에서부터 Z자로 지그재그로 시선을 유지하거나 앞 사람을 봤다가 뒷사람으로 시간 간격을 두고 시선을 옮기며 안정감을 유지하자. 빔프로젝터 화면을 보고 읽지 말고 청중과 빔프로젝터로 띄운 강의 자료 간 9:1 비율 정도로 시선을 조절하면 무난할 것 같다. 시선 처리가 어려우면 우선 나에게 호의적인 사람을 찾아 그에게 먼저 시선을 맞추고 차차 전체로 시선을 분산하면 된다. 강단에 서면 나와 눈을 마주치려 하거나 밝은 표정을 짓는 교육생이 한 명이라도 있기 마련이다. 경험이 조금만 쌓이면 그런 교육생을 강사는 금세 찾을 수 있다. 강의실에서 사각지대라 불리는 측면 구석 자리에 있는 교육생에게도 강사가 굳이 고개를 돌려서라도 적당히 시선을 주면 좋다. 관심의 표현이다.

강의 전달 기술_비언어적 스킬 (2/3)

비언어적 스킬_자세

- 지양 : 거북목(바나나 자세), 양손 모으기, 뒷짐, 팔짱, 주머니 손, 짝다리
- 권장 : 양 손 옆으로 바지 재봉선에 자연스럽게, 마이크나 포인터를 활용

강사의 동선

- 프로 강사일수록 교육생과 거리가 가깝거나 교육생 안으로 들어가서 강의 진행
- 가급적 등을 보이지 않기
- 교탁(교단) 뒤에서만 말하지 않기, 연단 공간 골고루 활용하기

시선 처리와 비슷한 비언어적 기술 중 또 다른 하나는 강사의 동선 관리다. 강사의 동선은 다른 것에 비하여 상대적으로 덜 중요하다고 나는 생각하지만, 때로는 강단에서 강사의 과한 움직임이 강의 내용 습득에 오히려 방해될 때가 있다. 언젠가 교육생으로 필자가 수강할 때의 일이다. 그날은 강사가 유독 강단에서 짧은 시간 간격으로 주기적으로 좌우로 움직이며 말을 했다. 그분은 초보 강사였고 추측건대 강사역량 향상 과정 같은 교육 프로그램 등에 참여해서 강사의 동선 관리는 이렇게 하라며 코칭을 받은 것 같아 보였다. 강단에서의 좌우로 움직임이 매우 부자연스럽고 주기적이었다. 교육생은 강사의 움직임에 시선을 두기 마련이다. 무대를 넓게 쓴답치고 시종일관 여기저기 움직이는 강사라면 곤란하다. 강사의 동선 역시 정답은 없다. 경험상 내가 생각하는 동선 관련 권장 사항은 교육생과 가깝게 자리를 잡으면 좋겠다. 노트북이 놓인 교탁에서만 말하지 말고 필요할 때 가끔씩 교육생 근처로 나와 그들과 물리적 거리를 적당히 좁히는 것이 좋다. 교탁 뒤 마이크 앞에서만 말하는 것은 발표지 강의가 아니다. 부산할 정도로 움직이는 것과 돌부처처럼 한 곳에서만 말하는 것 사이의 중간 어느 지점을 선택하기를 추천한다.

강의 전달 기술_비언어적 스킬 (3/3)

제스처(gesture)

- 손이나 팔 등 신체를 활용하여 이야기를 시각화 하는 것
- 교육생 규모에 따라 제스처 크기 조절
  → 10명 이하 : 핸드볼, 10~30명 : 농구공, 30명 이상 : 짐볼
- 손바닥은 호감을 표시, 중요한 포인트를 강조할 때 손등 사용
- 강사는 제스처를 쓰지만 교육생은 잘 느끼지 못하는 정도 권장, 과도한 제스처 지양

비언어적 스킬 마지막으로 강사의 제스처를 말하고자 한다.

손짓, 팔 동작, 두 손의 위치, 제스처의 크기, 다리 모양, 머리 움직임 등 모든 동작을 포함한다. 필자는 초보 강사 시절 흔히 '바나나 자세'라 불리는 거북목 강사였다. 거북이처럼 목을 앞으로 쭉 내밀고 허리를 굽혀 말하는 나의 모습을 동영상으로 확인하고 정말 경악을 금치 못했다. 제스처는 교육생이 의식하지 못하도록 자연스러운 것이 좋다. 강사는 제스처를 쓰지만, 수강생은 인지하지 못하는 정도가 정답이다. 말을 할 때 적당히 손등이나 손바닥으로 화면을 가리키거나 질문에 답할 사람을 찾으면서 자신의 팔을 들어 동조를 유도하는 자연스러운 동작이면 좋다. 간혹 삐딱하게 짝다리를 짚거나

주머니에 한 손을 넣고 말하는 강사도 있다. 설령 나보다 나이가 한참 어린 중고등학생을 대상으로 강의한다고 치더라도 이런 모습은 절대 좋은 모습이 아니다. 혼자 나와서 말하는 유튜브 콘텐츠를 보면 제스처 관련하여 참고할 사항이 있다. 혼자 나와서 상반신만 촬영하며 말하는 유튜브 영상에서 손동작을 일부러 너무 많이 하는 유튜버가 있다. 모든 것이 과유불급이다. 두 손을 가지런히 해서 앞에 모아 정중한 자세로 강의하는 것도 그리 바람직하지 않지만, 너무 난잡하게 손놀림이나 팔 동작을 과하게 하는 것도 교육생으로서 매우 거슬린다. 강사의 손이나 팔 동작을 공 크기와 비유하곤 한다. 교육생 30명 이내의 강의라면 강사의 손이나 팔 동작은 야구공 정도, 30~70명 수준이면 농구공 정도, 그 이상이면 헬스클럽에서 쓰는 커다란 짐볼 정도의 제스처 크기가 무난하다.

6. 성공 강의 퍼즐의 출발점, 참여식(facilitate) 교수 기법

'퍼실리테이트(facilitate)'라는 단어는 수월하게 하다, 편안하게 하다, 촉진하다의 뜻이 있다. 퍼실리테이팅 기술은 학습을 촉진하여 학습효과를 높이는 수단이다. 굳이 영어 단어보다 참여식 교수 기법이라고 칭하자. 참여식 교수 기법은 강사의 일방적 주입식 강의가 아닌 교육생의 참여를 통해 동기부여하고 교육 성과를 극대화하는 교육기법이다. 말을 잘하는 강사보다 교육생에게 말을 잘하게 만드는 강사가 유능한 강사다. 참여식 교수 방식은 게임학습이나 아이스브레이킹 혹은 스팟, 경청 및 피드백, 팀 토론, 발표, 질문, 역할연기 등 강의 중 직접 활동하고 팀원이나 강사와 함께하는 모든 행위를 말한다. 오프라인 강의뿐만 아니라 비대면 온라인 강의에서도 참여식 교수법을 위해 패들릿이나 멘티미터 같은 의견 수렴 프로그램이나 이모티콘이나 채팅창 등 교육생이 참여할 수 있도록 여러 도구를 사용하기도 한다.

퍼실리테이션(facilitation)_참여식 교육 기법

용어 정의

- Facilitate : ~을 수월하게(편하게)하다. 촉진하다
- Facilitation : 교육생이 강의에 직접 참여하여 효과적으로 결과 도출하도록 돕는 활동
- 교육생 사이의 상호작용이 활발하게 이루어져 창의적인 성과를 이루어 내는 행위

퍼실리테이션 구성요소

- 질문, 읽고 쓰고 말하고 행동하고, 피드백, Icebreaking기법, Ground Rule, 역할 분담
- 참여자의 자존감 중시, 공감대 형성 및 응대, 문제해결에 적극적 개입 및 참여 유도
- 발산 사고 도구 : Brain Storming, 만다라트 기법, SCAMPER, ERRC, BW(롤링페이퍼)
- 수렴 사고 도구 : Pay off matrix, Green dot기법(스티커 붙이기) 등

강단에 선 강사에게 가장 민감한 사항은 교육생으로부터 받은 강의 만족도 점수다. 그날 강의만족도 점수를 제대로 받지 못하면 다음 기회를 좀처럼 잡기 힘든 현실이 강사의 숙명이랄까. 강사는 자신이 만족한 강의보다 수강생이 만족하는 강의를 해야 한다. 일반적으로 참여식 강의보다 강사 혼자 떠드는 강의를 교육생이 대체로 선호한다. 마음 부담 없이 편하

게 수강할 수 있기 때문이다. 강사가 부산스레 수강생에게 질문하거나 이런저런 실습을 시키면 그들의 표정은 이내 일그러진다. 나에게 질문의 화살이 날아오지 않을까 부담스럽다. 하지만 강의 만족도는 적절한 비중이 섞인 참여식 강의가 경험상 훨씬 더 좋게 나온다. 이런 점은 앞에서 이미 언급한 에드가 데일(Edga Dale)의 경험의 원추(cone of experience) 이론에서도 잘 나타난다. 강의실에서 그냥 보고 듣기만 했을 때와 참여식 강의를 통해 수강생이 실제 경험했을 때 교육생의 강의 내용 기억은 차이가 난다. 강의 종료 3일 후 교육생이 수강했던 교육 내용을 기억하는 분량을 에드가 데일이 조사했다. 말로만 강의를 들었을 때 3일 후 전체 내용의 10%만 기억했다. 시청각 자료로 보여주었을 때 내용의 약 20%를 기억했지만, 직접 경험해 봤을 때는 교육 내용을 90%까지 기억했다는 연구 결과다. 강의에서 교육생이 수동적으로 보고 들은 것보다 적극적으로 실제 경험한 내용을 훨씬 더 오래 기억한다는 말이다. 그러니 강단에 선 강사는 일정 부분 참여식 교수법 도입이 필요하다. 물론, 강의 내용을 얼마나 기억하느냐와 수강생 강의 만족도가 일치한다는 전제는 없지만, 강사에게 참여자가 내 강의 내용을 더 오랫동안 기억한다면 좋은 일이다.

모든 사람이 스마트폰을 들고 다니기 전과 후로 나누어 본다면, 그 이전 강사는 특별한 사람이었다. 남들이 모르는 새로운 지식과 경험을 가진 사람, 혹은 유명인이나 무언가 남들이 경험하지 못한 특별히 경험이나 경력을 가진 사람이 대게 강단에 섰다. 아무나 강의할 수 없는 시대였다. 전 국민이 스마트폰을 가진 이후에는 정보의 비대칭성이 없어졌다. 누구나 손가락 몇 번만 움직이면 원하는 정보를 쉽게 얻는다. 이후 특별한 전문가가 아니어도 누구나 강사가 되는 시대가 되었다. 이로써 강단에서 강사의 역할은 확연히 달라진다. 남들이 모르는 새로운 지식이나 통찰을 설파하는 역할이 아닌, 이미 있는 지식 세계의 정보를 모아 교육생과 함께 나누고 그들 스스로 깨닫게 하는 지식 정보 코디네이터(coordinator) 혹은 큐레이터(curator)로 강사의 역할이 바뀌고 있다. 교수법 유행이 바뀐다고 해야 할까, 아니면 강의 패러다임이 변했다고 말해야 할까. 이런 흐름은 앞으로도 크게 변하지 않을 것으로 예상한다. 그러니 강단에서 살아남으려면 강사는 일방적인 지식 주입식 강의 방식을 버리고 참여식 교수법을 적절히 도입하는 것을 고민하고 실천해야 한다.

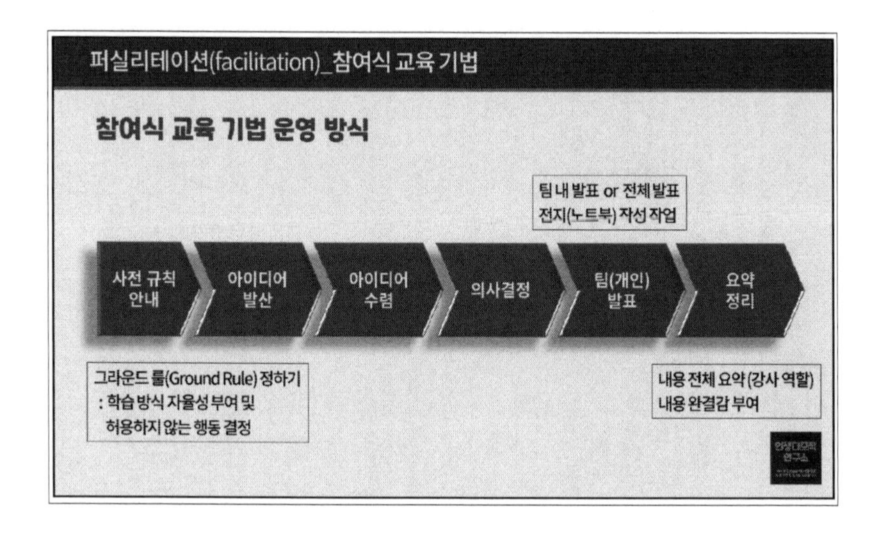

참여식 교수 방법을 진행할 때 참고할 사항이 있다.

팀 단위 학습이나 실습일 경우 강사가 각 팀의 팀장이나 서기 등을 지정하여 활동에서 소외되는 팀원이 없도록 각자 역할을 부여하고 맡은 역할을 잘 수행하도록 정확하게 안내해야 한다. 흔히 중학생도 알아들을 수 있도록 쉽게 설명하라는 말이 있다. 학습목표나 진행 방법과 제한 시간 및 주의사항에 대해서도 사전에 명확히 안내한다. 일종의 구조화 작업이며 그라운드 룰(Ground rule)을 정하는 과정이다. 진행 중에는 일부 교육생 위주로만 학습이 진행되지 않는지 강사가 돌아다니면서 세심한 관찰과 독려 또는 적극적 모니터링도 필요하다. 교육생에게 실습시키고 강사는 뒤에 앉아 놀고 있으면 안 된다. 이는 엄마 아빠가 TV나 보면서 자식한테는 공부하라고 잔소리하는 것과 같다. 부모가 먼저 모범을 보여야 한다. 팀 활동이 끝난 후 개별 발표를 하는 경우가 있다. 이때 전체 교육생 앞에서 발표하는 것이 부담이라면 팀 내에서 팀원 간 발표로 전환하는 것도 서로 부담을 줄여서 괜찮다. 참여 실습 활동에 강사는 충분한 시간을 배정한다. '시간이 부족해서 이만하겠습니다'로 마무리하는 것을 지양하자.

참여식 수업 방식에 팀 활동만 있는 것은 아니다. 교육생에게 질문에 답을 하게 하는 것도 매우 유용한 참여식 교수 방식이다. 강사가 내게 질문하지 않을까 하는 긴장감을 가지게 하여 강의에 몰입하게 만들 수 있다. 교육생은 나도 강사로부터 질문받을 수 있다고 판단하면 뇌의 특정 부분이 각성되어 집중력이 더 좋아진다는 연구 결과도 있다. 교육생에게 질문할 때는 순서가 있다. 전체 청중에게 먼저 질문 후 답변이 없다면 지명하여 질문을 한다. 전체 청중에게 먼저 '~상황을 어떻게 생각하십니까?' 하고 전체 질문했을 때 누군가가 답변한다면 좋지만, 답변이 없다면 그때 비로소 개인을 지명하여 답변을 유도할 수 있다. 이는 강사의 질문에 답변할 시간을 벌어주고자 하는 교육생에 대한 배려다. 곧바로 누군가를 지목하여 질문하지 말고 반드시 전체 교육생을 향해 질문 후 답변할 시간을 벌어주고 이후 개인을 지목하여 질문하도록 하자.

퍼실리테이션(facilitation)_참여식 교육 기법

참여식 교육 기법 운영 포인트

- 교육 목적이나 내용과 연계된 활동이어야 한다
- 학습목표, 진행방법, 시간, 주의사항, 각자 역할 등을 사전에 명확하게 안내한다
- 필요시 강사가 학습 내용에 대해 예시를 들어주거나 시범을 보여준다
- 모든 교육생이 참여하도록 강사가 지속적으로 관찰하고 촉진한다 (특정인 집중 경계)
- 참여식 학습에 필요한 준비물을 사전에 철저히 준비한다. (전지, 포스트잇, 필기구 등)
- 팀별 발표시 경청의 중요성과 제한 시간을 안내한다
- 학습이 끝나면 강사가 핵심 내용을 요약과 종합 정리 후 중요사항을 다시 강조한다
- 참여식 학습에 필요한 교육 시간을 충분히 확보한다

이외에도 여러 참여식 교수법이 있다. 주의를 환기하는 스팟(spot) 기법도 그중 하나다. 스팟 기법은 짧은 시간에 교육생의 주의를 집중시키고 적극적이고 긍정적 강의 참여를 유도하며 일체감과 성취감을 주는 유용한 강의 기법이다. 간단한 보드게임이나 OX퀴즈 혹은 넌센스퀴즈 등의 스팟 기법이 수강생의 주의 환기나 동기부여에 기여할 수 있다. 이

때 주의할 점도 몇 가지 있다. 교육생의 연령, 경력, 직급 등을 고려하여 너무 수준 낮은 유치한 내용이라서 실소가 나올 수 있는 수준이라면 안 하는 것만 못하다. 그리고 스팟 활동은 짧고 굵게 끝내는 것을 권한다. 배보다 배꼽이 더 크면 강의 만족도 조사에서 분명히 불편해하는 교육생이 나오게 마련이다. 스팟 사용 시 가장 주의할 점은 단지 웃고 즐기는 수단으로만 쓰지 말고 일부분이라도 그날 강의 주제와 연관성이 있는 것으로 준비하길 권한다. 처음에 웃고 즐기더라도 스팟 활동 마지막에는 '아, 이래서 강사가 이런 스팟을 하는구나' 하고 이해할 수 있으면 좋다. 아래 그림과 같은 넌센스퀴즈 정도면 무난하다. 계란을 보여주고 다섯 글자로 표현해 보라는 퀴즈다.

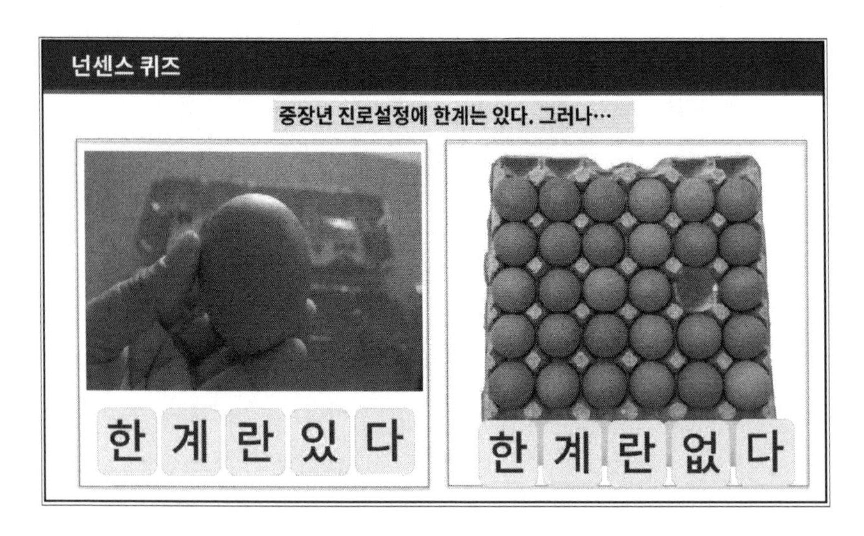

정답과 상단에 적은 '중장년 진로설정에는...'의 메시지를 파워포인트 애니메이션 기능으로 나중에 보여주며 그날 강의 주제를 다시 상기시킨다. 중장년 진로설정에는 한계는 있지만, 그래도 방법은 있으니 계속 이 강의 들어보시라며 강의에 집중할 동기가 생긴다. 추가하여 또 한 가지, 시대가 시대니 만큼 교육생 간 스킨십이 들어가는 활동은 자제하자. 상대 어깨를 주물러준다거나 둘이서 조를 짜서 몸을 서로 맞대고 하는 스트레칭 같은 활동들, 성 인지 감수성이 예전과 사뭇 달라진 지금 시대에 이런 스팟은 안 하는 것을 권한다.

능력있는 강사라면 참여식 교수법은 반드시 장착해야 할

필살 기법이다. 앞서 성인학습자의 특성을 언급했다. 성인학습자는 의외로 주입식 교육을 싫어한다고 말했다. 교육생은 본인이 스스로 똑똑하다고 느끼고 자기 경험을 표현하고 싶어 하는 특성도 있다. 또한 같이 참여한 학습자 간에도 서로 배우는 것이 있다. 이런 특성이 있으니 강사는 성인학습자의 이런 특성을 굳이 잠재워두지 말고 판을 깔아주며 적극 활용해야 한다. 멍석만 제대로 깔아줘도 강의 절반은 성공이다. 교육생도 멍석 위에 윷을 던지고 싶어 한다. 부디 멍석 위에서 강사가 혼자 윷놀이하지 마시길.

Episode

그 말이 왜 거기서 나와?

강사 초보 시절 이야기다. 지금 생각해도 부끄러운 경험이 하나 있다. 선배 강사(K라 칭하자)의 불가피한 일정 때문에 두 시간 특강 대체 강사로 내가 대신 들어가게 되었다. 퇴직 예정인 모 공공기관의 고위 공직자를 대상으로 후반기 인생 재설계를 주제로 한 특강 자리였다. 대체 강사로 나를 소개한 선배 강사 K가 내게 그 자리를 맡기면서 신신당부했다. 교육생 특성상 매우 무겁고 중요한 자리니 신경 써 달라고. 무엇을 어떻게 신경 쓰라는 말인지 구체적으로 언급하지 않았지만, 이십여 명 퇴직 예정 고위 공직자 대상 특강이라니 나도 모르게 살짝 주눅이 들었다. 시작도 하기 전에 이미 지고 들어가는 형국이다. 아니나 다를까 그날 강의 초입부터 나는 중대한 말실수를 범했다.

"오늘 K강사 개인 사정으로 대신 강의하게 된 '땜빵 강사' 이진서입니다. K강사보다 내공은 좀 부족하지만, 나름대로 열심히 준비했으니 잘 부탁드립니다."

이 말이 끝나자마자 강의장이 술렁이기 시작했다. 교육생들은 '앗, 이건 뭐지?' 같은 황당함을 느끼고 있는 것 같은 그런 분위기가 연출되었다. 순간 나는 말실수를 범했구나 직감했다. 강의 초입부 강사소개부터 주눅이 들어서 그런지 몰라도 그날 강의 자체도 엉망이었다. 이후 강의 시간이 어떻게 흘렀는지 기억이 나지 않는다. 최악의 강의였다. 강의 종료 후 나를 추천했던 K강사로부터 한탄 섞인 이날 강의 피드백을 들을 수 있었다. 강의 주최측에서 K강사에게 그날 나의 말실수에 대하여 유감을 표현했으리라. 왜 이런 형편없는 강사를 소개했냐는 하소연과 함께. 지금 생각해도 나는 뒷골이 송연하다. 초보 시절 실수는 누구나 한다. 이로써 교훈을 얻는다. 한 문장으로 표현하면 이렇다.

강사소개의 원칙 : '자신감 있되 거만하지 않게, 겸손하되 비굴하지 않게'

강사와 교육생 간 처음 만나는 자리라면 너무 겸손한 자기소개는 금물이다. 강사는 이 자리에서 강의할 만한 충분한 자격이 있다는 점을 자신감 있게, 동시에 거만하다고 느끼지 않도록 소개해야 한다. 서로 처음 만나는 자리에서 '이 강의 들어볼 만하겠다'는 교육생의 기대감을 한껏 높여주는 자기소개가 바람직하다. 그날 나는 산전수전 다 겪은 백전노장 교육생이 모인 진중한 자리에서 서로 힘 빼고 가벼이 가자며 '땜빵 강사'라는 저급한 단어를 썼지만, 받아들이는 교육생의 마음은 내 마음 같지 않았다. '고귀한 내가 이렇게 어렵사리 시간 내어 교육에 참여했는데 시간이나 때우는 수준 낮은 강사의 이야기나 들으라고?' 하며 교육생은 반문할 수 있다. 물론, '땜빵 강사'라고 겸손하게 표현했지만, 그날 강의 수준이 교육생 기대에 훨씬 웃돌았다면 오히려 강의만족도 점수가 더 나올 수도 있다. 하지만, 그것은 최상의 시나리오다. 강의의 질과 상관없이 강의 초반부터 교육생의 기대감을 높이는 강사소개가 바람직하다. 내가 유명인이거나 굳이 내 소개를 자세히 안 하더라도 이미 참여한 교육생이 강사의 업력이나 내공을 충분히 인정할 정도로 인지도 높은 강사라면 모를까, 그렇지 않은 상황이라면 강사소개는 적당히 과장을 추가하여 내가 충분한 경력과 경험과 내공이 있음을 적극 어필하길 권한다.

이날 교육생분들이 강사를 얕봐서 그런지 나의 또 다른 말실수를 매정하게 강의평가서에 남겨 주셨다. '코로나 이후 저희 나라가 발전하고 있습니다.'라고 말했더니 여지없이 강의 종료 후 강의평가표에 '우리나라'라고 말해야지 왜 '저희나라'라고 말하냐고 기분 나쁘다고 적으신 분이 계셨다. 야박하지만, 맞는 말이다. 마치 '아메리카노 한 잔 나오셨습니다.' 같은 어법이다. '저희'는 겸양어라서 절대 존칭의 대상인 '나라'를 수식하기에 부적합한 단어다. 강사소개 첫 단추부터 잘못 끼운 터라 작은 빌미에도 교육생은 그냥 넘어가지 않았던 것 같다.

밖으로 표현하지 않지만, 사람의 정서는 대체로 비슷한 것 같다. 상대가 나보다 약자라고 생각하면 가혹하고, 그 반대면 대체로 관대하다는 사실. 강단에 서는 강사는 그 시간만큼은 연기하는 배우다. 배우는 남에게 잘 연출된 연기를 보여주는 사람이다. 처음 마주하는 교육생에게 불필요한 빌미를 제공하거나 양해를 구할 일은 애초부터 만들지 않는 것이 현명한 강사의 자세다. 강단에서 강사는 항상 약자가 아닌 강자가 되길 권한다.

Part 03

강의 스킬_
알아두면 유용한 강의 노하우

1. 프로답지 못한 파워포인트 슬라이드 장표 작성 사례

지금부터는 강의 현장에서 일어나는 실무적이고 현실적인 이야기를 하려 한다. 그중 먼저 강의용 슬라이드 장표 작성법이다. 이 부분을 우선 언급하는 이유가 있다. 필자도 그간 여러 강사의 강의를 수강하면서 일부 초보 강사들이 올리는 슬라이드 장표를 봤을 때 장표 디자인은 차치하더라도 가독성 측면에서 눈살이 찌푸려질 정도로 아쉬운 점이 많았다. 비단 초보 강사뿐만 아니라 경험이 많은 일부 베테랑 강사도 교육생 관점을 고려하지 않은 슬라이드 장표 작성이 아쉬웠다.

강의 자료 제작법 (1/2)

시각 자료(슬라이드 장표) 제작 핵심 포인트

- 시각적으로 정리 정돈이 잘된 적당량의 자료 노출 (과유불급)
- 글자를 이미지로 보여주려는 노력 필요, not 보고서 but 강의 장표
- 교육생 관점 작성, 디자인 0점은 인정해도 가독성 0점은 용서 못함
- 3~4가지 이상의 다양한 색깔이나 원색 사용 지양
- KISS원칙 (Keep It Simple & Short)
- 일관성 있는 레이아웃, not 4:3 but 16:9
- 제목 및 본문 글꼴 외 다양한 글꼴 사용 지양 (2~3가지 글꼴 정도만 사용 권장)

예쁘고 멋있는 디자인 감각을 말하는 것은 아니다. 가독성 측면에서의 기본기를 말한다. 강의용 슬라이드 장표는 직장 상사에게 전달하는 엑셀이나 한글 프로그램으로 만든 보고서가 아니다. 강의 슬라이드 장표는 전하려는 의도를 짧은 시간 한눈에 이해할 수 있도록 보는 사람의 눈높이에 맞춰 작성되어야 한다. 강단에서 메시지를 전달할 때 강사의 말이 물론 중요하지만, 이미 언급한 메라비언 법칙처럼 슬라이드 장표 같은 시각 요소도 매우 비중 있는 보조 수단이다. 아니, 보조 수단을 넘어 강사의 강력한 무기 중 하나다.

강의 자료 제작법 (2/2)

시각 자료(슬라이드 장표) 제작 핵심 포인트

- One Slide One Message 준수
- 동영상 형식은 wmv, 길이는 최대 3분 이내(1.3배속 편집 권장)
- 모핑이나 애니메이션 기능은 너무 현란하지 않게, 메시지 전달 본질을 해치지 않게
- 자료 출처 표기 준수, 무료 글꼴 사용 권장(저작권 문제 소지 방지)
- 성인학습자 집중력 저하 방지용 Spot 자료 적정 위치에 삽입
- 매직 넘버(신비의 숫자) 3과 7을 기억할 것
- 슬라이드 장표 작성법 공부하기, 나쁜 사례 타산지석 삼기, 유튜브 활용 실습

강사에게 슬라이드 장표가 이렇게 중요하지만 제대로 준비하지 못하는 강사가 많다. 이유가 있다. 교육생이나 동료 강사로부터 자신이 만든 슬라이드 장표의 문제점을 제대로 피드백 받지 못하기 때문이다. 나와 같이 일하는 동료 강사 중 슬라이드 장표의 질적 개선에 그다지 신경 쓰지 않는 분들이 다수 계신다. 한 강의에 수십 장의 슬라이드 장표가 들어가는데 디자인 일관성이나 미적 감각은 언급하지 않더라도, 가독성 면에서 매우 부족한 점을 발견하곤 한다. 내가 그 강사에게 '선생님 만드시는 슬라이드 장표 가독성을 좀 더 강화하시는 게 어떨까요?', '선생님이 만드신 장표의 메시지가 한 눈에 잘 들어오지 않아요, 무슨 말씀을 하시려고 이렇게 복잡

하게 만드신 건가요?' 등으로 물어보기 힘들다. 친구처럼 친한 사이가 아닌 이상 업무적으로 만나며 별로 친하지 않은 동료 강사에게 아무리 좋게 말씀드리려 해도 강사분들은 각자의 자존심이 매우 강하신 분들이라 말하기 조심스럽다. 좋은 의도를 가진 나의 피드백이 자칫 서로 불편한 관계를 만드는 원인이 된다면 긁어 부스럼이다. 이래서 뒤처지는 강사는 매번 잘못된 방식으로 슬라이드 장표를 만들고 답답한 강의를 반복한다. 필자 역시 디자이너가 아닌 이상 미적 감각과 색감이 조화로운 아름다운 슬라이드 장표 작성 기술까지 설명할 수 없다. 반드시 지켜야 하는 기본기 정도라도 이 책에서 언급하고자 한다. 기본만 알아도 절반은 성공이다.

» 보이는 것이 전부다. 디자인 0점은 용서해도 가독성 0점은 용서 못한다

경력이 다소 있는 강사라면 강의용 슬라이드 장표 작성에 그리 애를 먹지 않는다. 안에 들어가는 내용이 중요하지 밖으로 보이는 슬라이드 장표 작성은 그들에게 그리 어려운 작업은 아니다. 경력 많은 강사는 이미 만들어둔 자신만의 슬라이드 서식(템플릿)을 가지고 있다. 그 안에 내용만 업데이트하거나 삽입하면 된다. 그런 분들 말고 초보 강사며 강의용 슬라이드 장표 만드는데 아직 어려움을 겪고 계신 분이라면 이 부분을 유심히 보면 좋을 것 같다.

최적화한 슬라이드 장표 작성을 위해 익혀야 하는 파워포인트 장표 작성 세부 기술은 매우 다양하다. 애니메이션 기능과 모핑 같은 화면 전환 기능을 활용하여 강사의 말과 진도를 맞추어 시간의 흐름에 맞게 화려한 방식으로 정보를 전달하는 방법이나, 마치 화장하지 않은 것처럼 튀지 않고 촌스럽지 않은 적절한 색깔 사용법 등은 고급 기술이다. 슬라이드 장표에 동영상을 삽입하여 시간 공백없이 재생하는 팁이나 이미지나 도형 병합 교차 등의 고급 기술을 활용하여 깔끔하고 통일성 있게 이미지를 편집하고 구성하는 방법도 있다. 여기서 그런 기술적 부분을 언급하는 것보다 슬라이드 작성에 관한 기본기만이라도 탄탄하게 먼저 다져보시라는 목적으로 몇 가지 필수 숙지 사항만 말씀드린다.

강의용 슬라이드 장표 작성의 기본기라면 딱 두 가지 말씀드린다. 이것만 지켜도 절반은 먹고 들어간다. 가독성과 메시지 분할이다. 두 요소 모두 교육생 관점 기준이다. 가독성 있게 슬라이드 장표를 만들려면 전하려는 메시지를 쪼개어 되도록이면 한 장에 하나의 메시지만 담는다. 그래야 장표에 여백도 생기고 가독성이 좋아진다. 가독성 좋은 장표가 메시지도 명확하다. 어찌면 둘이 서로 연결된 내용이다. 강의할 때 주인공은 강사다. 가독성 떨어지는 장표로 교육생이 강사가 아닌 슬라이드에 너무 많은 시선을 빼앗기면 그만큼 손해다. 가독성이 떨어지거나 장표 한 장에 꾸깃꾸깃 여러 의미를 담아버리면 교육생은 장표를 뚫어지게 쳐다보며 무슨 의미인지 고민하거나 안에 적힌 글자 읽기에 정신을 팔게 된다. 당연히 강사의 말에 귀를 기울일 여유가 사라진다.

가독성 강화를 위해서 가장 먼저 고려할 점은 누가 뭐라고 해도 올바른 글꼴 사용법이다. 컬러, 폰트 종류, 크기, 강조, 자간, 행간을 고려해서 써야 한다. 문장이나 단어를 어느 정도 가로 간격으로 배치하는지를 '자간'이라 부른다. '자간'은 파워포인트 홈 메뉴 중간쯤에 '문자간격'이라는 아이콘이 나와 있으니 그 아이콘을 눌러 사용한다. 새로 간격은 행간이다. 이 역시 파워포인트 홈 메뉴 중 '줄 간격'이라는 아이콘을 클릭하여 1.5든 2.0이든 아니면 사용자 지정 메뉴로 들어가서 원하는 행간을 숫자로 입력하면 된다. 강의할 때 적절한 가독성을 가진 글꼴 선택법과 자간과 행간을 적절히 조절해서 쓰는지가 글꼴 사용법의 기본 중의 기본이다. 너무 넓게 쓰면 촌스럽고, 너무 빽빽하면 가독성에 문제가 생긴다. 문장이나 문단 정렬도 매우 중요하다. 글꼴을 잘못 쓴 아래 예시를 보자. 나쁜 사례라서 따로 출처를 밝히지 않는다.

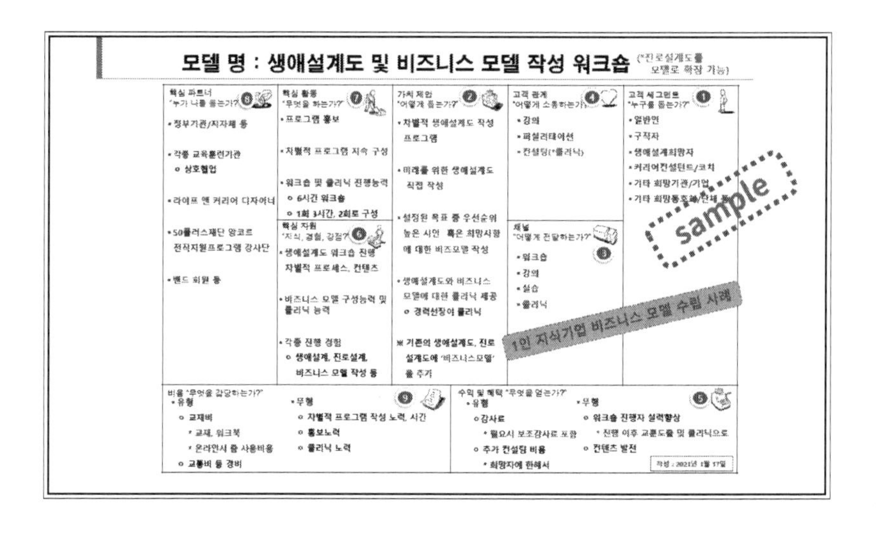

가독성 빵점인 장표다. 강사가 이런 장표를 띄우면 교육생은 숨이 턱 막힌다. 여러분들은 강의할 때 설마 이런 숨 막히는 장표를 사용하지는 않는다고 믿는다. 사용한 글꼴을 우선 보자. 제목 글꼴은 HY견고딕 24pt며 본문에 들어간 깨알 같은 글꼴은 맑은고딕 10.5pt다. 강의 용도의 파워포인트 슬라이드 장표에 글꼴 크기가 10.5pt를 선택했다는 것 자체가 충격이다. 자간은 표준으로 사용했다. 맑은고딕체는 무료 글꼴이지만 필자는 사용하지 않는다. 굳이 맑은고딕체만 사용해야 한다면 자간을 줄여서 쓰고 굵게 강조하여 20pt 이상으로 쓴다. 제목은 28~32pt 크기로 굵게, 본문 내용은 20~24pt 정도가 그나마 봐줄만 하다. 그럼에도 맑은고딕 폰트 자체는 한글 보고서라면 모를까, 강의용 파워포인트 프로그램에서는 가독성이나 디자인 면에서는 사용을 권장하지 않는다. 가독성 좋은 글꼴이 널려있기 때문이다.

내용을 강조한다고 파란색 빨간색 등 원색을 남발했다. 너무 많은 색깔, 게다가 원색을 저렇게 써버리면 장표가 촌스러워진다. 길에 지나가는 사람들 옷 색깔을 보면 해변 휴양지가 아니고서는 원색의 옷을 대체로 잘 입지 않는다. 다 이유가 있는 법이다. 글자를 강조할 때는 색깔보다 굵기나 크기로 조정하는 것을 권한다. 아니면 색연필이나 형광펜을 그은 것처럼 강조하려는 글자 바탕에 글자 크기만한 색깔 도형을 은은하게 깔아주는 것도 방법이다. 굳이 글자에 색깔을 입혀 강조하고자 한다면 그래도 쨍쨍한 원색 사용은 피하자.

위 샘플 장표가 강의 용도로는 적절하지 않은 글꼴 선택과 폰트 크기와 색깔 때문에 가독성도 떨어지지만, 더 문제는 하나의 장표에 너무 많은 내용을 욱여넣었다는 점이다. 연결되는 내용도 아니라서 굳이 한 장표에 나열할 필요가 없다. 아래에 대체해서 만든 권장 사례 장표를 세 장으로 분리해서 만들어봤다. 우선 한번 비교해 보자.

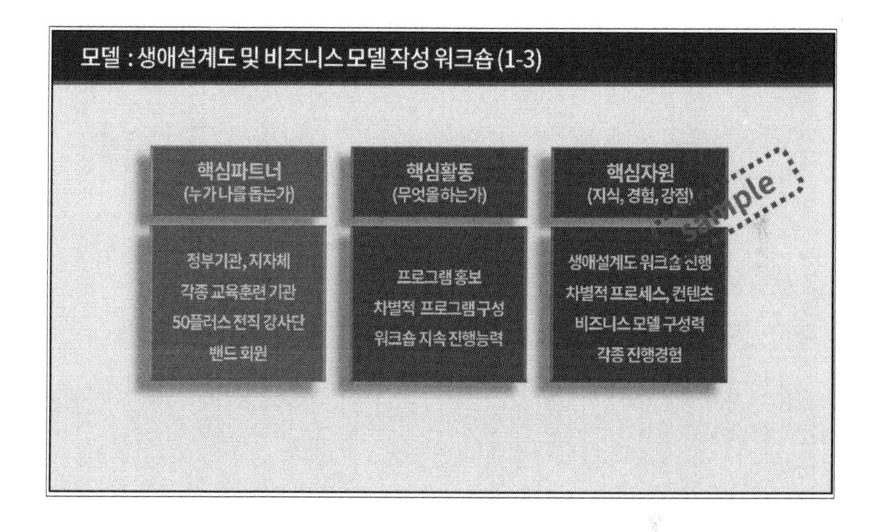

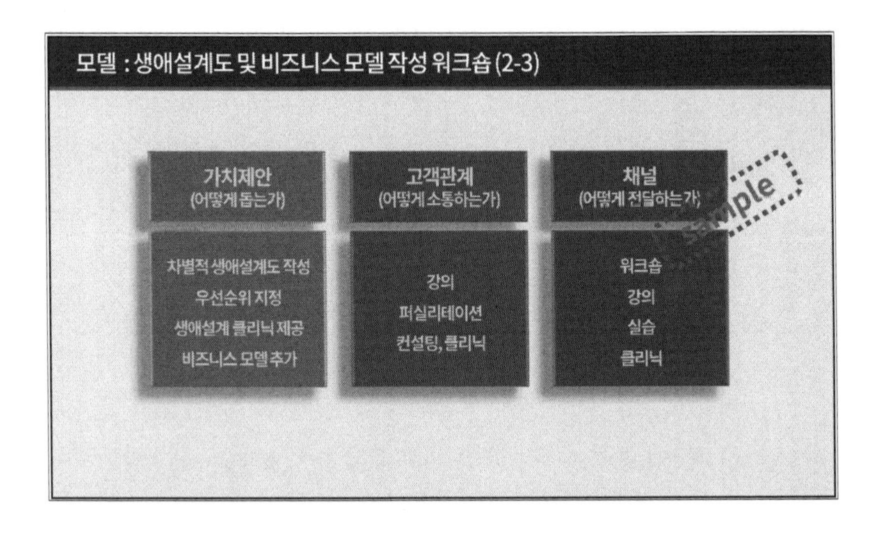

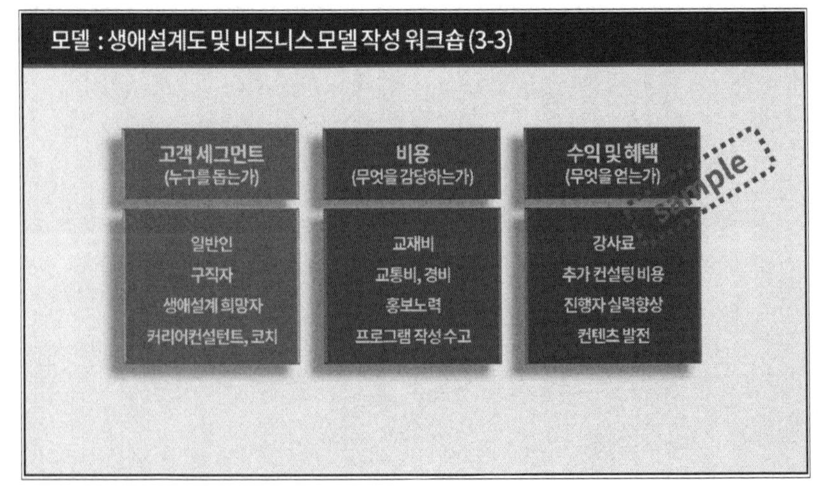

맑은고딕체가 아닌 노토산스(NotoSans) 고딕체를 썼다.

제목 글꼴 크기는 24pt, 아래 세부 항목 크기는 20pt다. 글꼴 선택과 크기 지정 그리고 세 장으로 장표를 분리해서 만든 것만으로 가독성이 확 살아난다. 장표에 적절한 여백도 있어 안정감이 있다. 이미지와 글자 간 조화로운 색깔 선택이 고민이라면 조금 있다가 깔끔하고 간단한 색깔 사용 해법을 제시하니 너무 염려 마시라.

다음 장표도 한번 보자. 역시 나쁜 사례다.

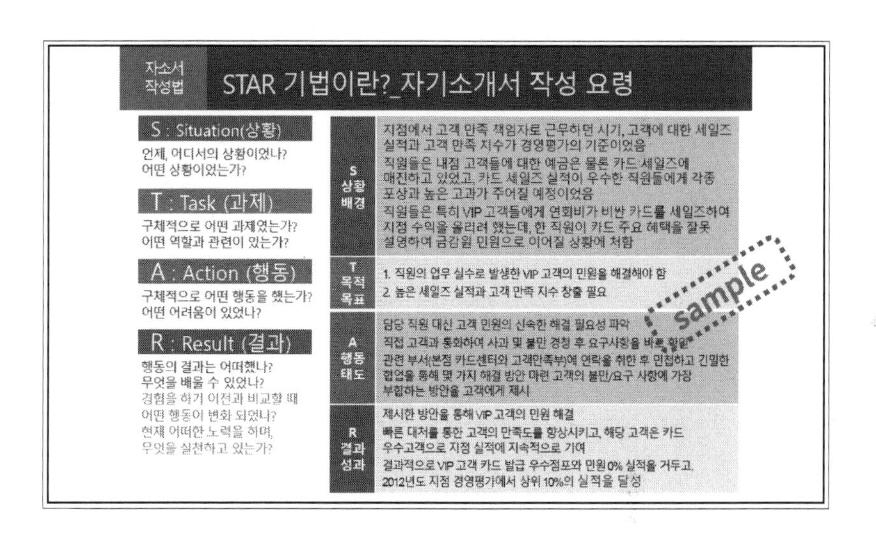

위 장표도 하필 맑은고딕 폰트를 썼다. 처음 장표보다는

그나마 나아 보이지만 글자가 너무 빼곡하다. 세로 행간을 보시라. 줄 간격인 행간도 너무 여유가 없다. 이러니 가독성이 떨어진다. 이런 장표를 강사가 띄우면 교육생은 강사의 말보다 슬라이드 장표 안의 글자 읽기에 바쁘다. 강의실 뒤에서는 깨알 같은 글자가 잘 보이지도 않는다. 원색 위주의 여러 가지 색깔 선택도 매우 촌스럽다. 자기소개서 작성 원리인 S.T.A.R라는 네 가지 항목을 각각 한 장으로 분리하여 네 장으로 구성하고 안에 들어간 긴 문장도 핵심 단어만 쓰고 나머지는 강사가 말로 설명하면 훨씬 더 전달력이 있을 텐데 하는 아쉬움이 있다. 본보기로 위 장표를 보완하여 한두 장 만들어 봤다. 바탕색을 흰색이나 검정 계열로 구분하여 작성했다. 흰 바탕이든 검은 바탕이든 이렇게 네 장으로 메시지를 분할하여 표현하면 훨씬 가독성이 나아진다.

가독성 확보 (After)

STAR 기법이란?_자기소개서 작성 요령

After

상황 [Situation]
언제, 어디서의 상황이었나?
어떤 상황이었는가?

- 실적, 고객만족 지수
- 금감원 민원

한 지점에서 고객 만족 책임자로 근무하던 시기, 고객에 대한 세일즈 실적과 고객만족 지수가 경영평가의 기준이었음.

직원들은 내점 고객들에 대한 예금은 물론 카드 세일즈에 매진하고 있었고, 카드 세일즈 실적이 우수한 직원들에게 각종 포상과 높은 고과가 주어질 예정이었음.

직원들은 특히 VIP 고객들에게 연회비가 비싼 카드를 세일즈하여 지점 수익을 올리려 했는데, 한 직원이 카드 주요 혜택을 잘못 설명하여 금감원 민원으로 이어질 상황에 처함

가독성 확보 (After)

STAR 기법이란?_자기소개서 작성 요령

After

상황 [Situation]
언제, 어디서의 상황이었나?
어떤 상황이었는가?

- 실적, 고객만족 지수
- 금감원 민원

한 지점에서 고객 만족 책임자로 근무하던 시기, 고객에 대한 세일즈 실적과 고객만족 지수가 경영평가의 기준이었음.

직원들은 내점 고객들에 대한 예금은 물론 카드 세일즈에 매진하고 있었고, 카드 세일즈 실적이 우수한 직원들에게 각종 포상과 높은 고과가 주어질 예정이었음.

직원들은 특히 VIP 고객들에게 연회비가 비싼 카드를 세일즈하여 지점 수익을 올리려 했는데, 한 직원이 카드 주요 혜택을 잘못 설명하여 금감원 민원으로 이어질 상황에 처함

슬라이드 장표 가독성에 관한 내용은 유튜브나 여타 서적

에 널려있으니 더 자세한 언급은 하지 않는다. 아래 예시 사례 두 가지만 더 보고 마무리한다. 유튜브 [이희정의 PPT 실무테크닉]이라는 채널에서 예제를 가져왔다. 숫자가 있는 도표를 어떻게 한눈에 볼 수 있도록 가독성을 높였는지 참고하면 좋겠다. 숫자나 글자를 이미지로 변환해서 표현하면 훨씬 가독성이 좋아진다. 이는 타고난 미적 감각과 무관하다. 관점과 생각의 차이일 뿐이다.

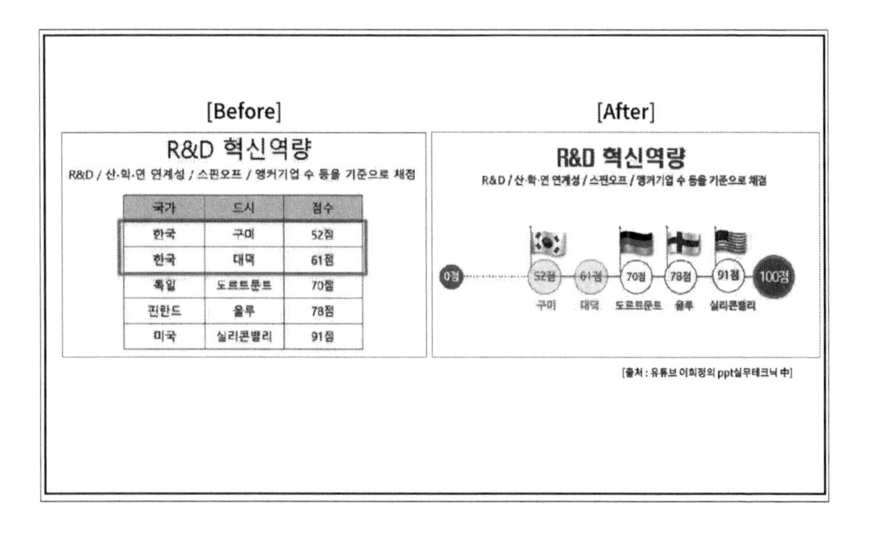

[Before]

전체 제조업 대비 산업단지 비중

구분	비중/값		성과
생산 비중	69%	985조원	산업발전 및 국가성장에 기여
수출 비중	74%	3,600억불	지역경제활성화 거점 마련
고용 비중	49%	199만명	국토균형 발전에 기여

[After]

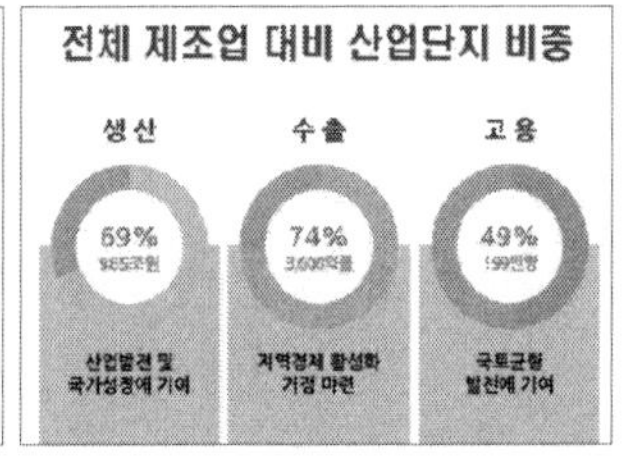

[출처 : 유튜브 이희정의 ppt실무테크닉 中]

» 메시지 분할, One Slide One Message 원칙

화장실에서 휴지를 쓸데없이 많이 쓰는 사람이 있다. 옆에서 그런 사람 보고 있으면 눈살이 찌푸려진다. 슬라이드 장표는 여러 장 쓴다고 누가 뭐라고 하지 않는다. 강사의 말에 집중하라는 의도로 스티브 잡스는 아예 검은 바탕에 아무 내용도 기재하지 않은 빈 화면을 띄우기도 한다. 슬라이드 장표 작성에 익숙지 않은 초보 강사는 하나의 장표에 너무 많은 메시지를 담는다. 마치 장표 숫자에 제한이 있다고 느끼는 것 같아 안타깝다. 강의 장표는 보조 수단이다. 마구마구 장표 수를 늘려도 누가 뭐라고 하지 않는다.

아래 사례를 하나 보자. 위에 나쁜 장표 사례보다는 가독성은 다소 좋지만 역시 글자가 빼곡하다. 한 장의 장표에 여러 메시지를 담고 있다. 장표에 글자가 많으면 교육생은 글자 읽느라 강사의 말에 집중하기 힘들다.

1. Why, 생애설계인가?

생애설계 의미

➤ 개인과 가족이 보다 충실하고 만족스러운 인생을 살아 나가고자 생애의 목표를 수립하고 어떻게 실현해 나갈 것인지에 대하여 구체적으로 계획하는 것

➤자신의 생애목표를 실현하기 위하여 종합적이고 장기적인 관점에서 생애 전체를 계획하는 것

a) "나는 누구인가? "에 대한 자신의 해답을 반영 하는 것

b) 자기 인생의 목적을 체계화 하는 것

c) 자기 인생 전체에 대한 시간관리

d) 자신이 바라는 삶의 모습을 만들어 가는 과정

e) 자아 정체감 확립 / 실현을 목적으로 하는 것

특별한 경우가 아니면 글자 많은 장표 작성을 지양해야 한다. 의도하고자 하는 내용을 글자보다는 더 직관적으로 이해하도록 이미지나 도표 등으로 변환할 수 있는지 강사는 항상 고민해야 한다. 장표에서 뜻하는 바와 상응하는 이미지를 찾

아 바탕에 깔고 그 위에 핵심 단어만 노출하는 방법이 그나마 간단한 방법이다. 위 장표를 이런 방식으로 아래 두 장으로 메시지를 분할했다.

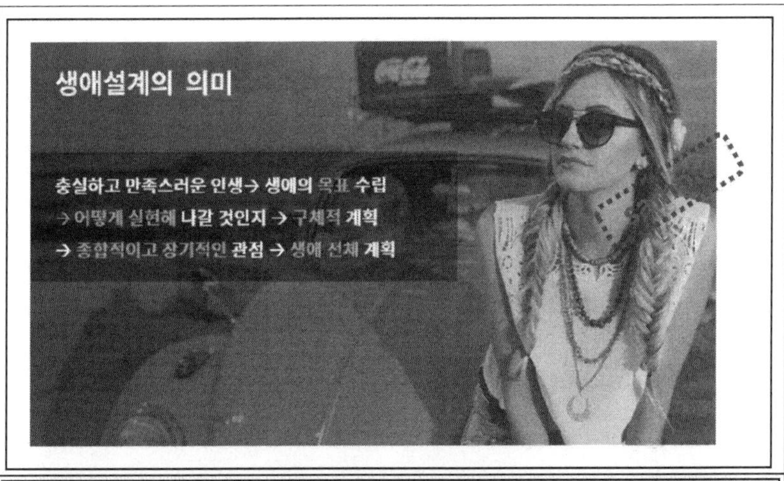

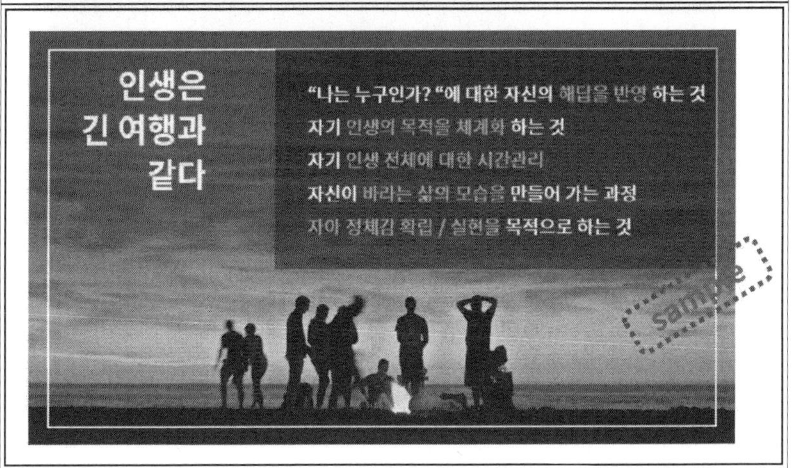

글자 내용과 부합하는 배경 그림도 깔아주고 전하려는 메시지도 두 장으로 분할하니 가독성이 좋아졌다. 생애설계는 인생이고 인생 하면 여행이 떠오른다. 여행 관련 무료 이미지(픽사베이 사이트에서)를 찾아 바닥에 깔고 그 위에 핵심 단어를 썼다. 설명하고자 하는 개념을 어떻게 이미지화하고 단순화할지 아이디어가 떠오르지 않아 오직 글로써만 표현해야 한다고 해도 위 나쁜 사례처럼 만들지 말고 아래처럼 만들어보면 어떨까. 권장하는 바는 아니지만, 그래도 원래 사례보다는 가독성 면에서 훨씬 낫다.

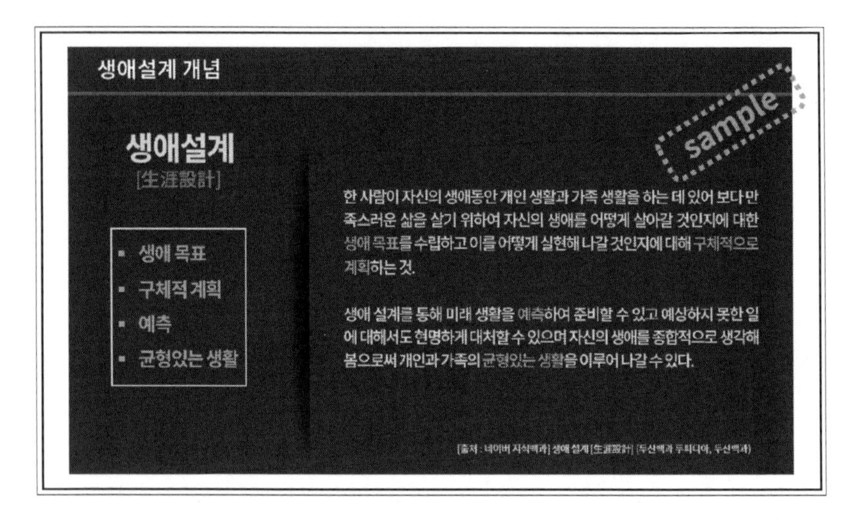

우선 슬라이드를 좌우 3:7 비율로 가른다. 사람의 시선은 Z자로 움직인다고 한다. 보통 우리의 시선은 위에서 아래 혹은 좌에서 우로 흐른다. 그 점을 노려서 좌측에 설명하고자 하는 중심 개념과 그에 관한 핵심 단어를 굵은 글씨와 색깔을 달리하여 강조한다. 우측엔 긴 문장으로 원래 뜻을 적는다. 우측에 긴 문장을 기재할 때도 양쪽 정렬 기능을 써서 좌우를 일정하게 맞추어 마치 사각 박스 안에 들어간 문장처럼 단정히 정렬한다. 이런 장표를 띄우면 교육생은 우측 긴 문장을 읽지 않고 Z자 시선 원리에 의해 좌측 핵심 단어를 먼저 보게 된다. 글자가 많은 장표 자체를 그리 권장하지 않지만, 어쩔 수 없이 글자를 많이 기재해야 한다면 바탕색을 조금 조정하면 가독성이 살아난다.

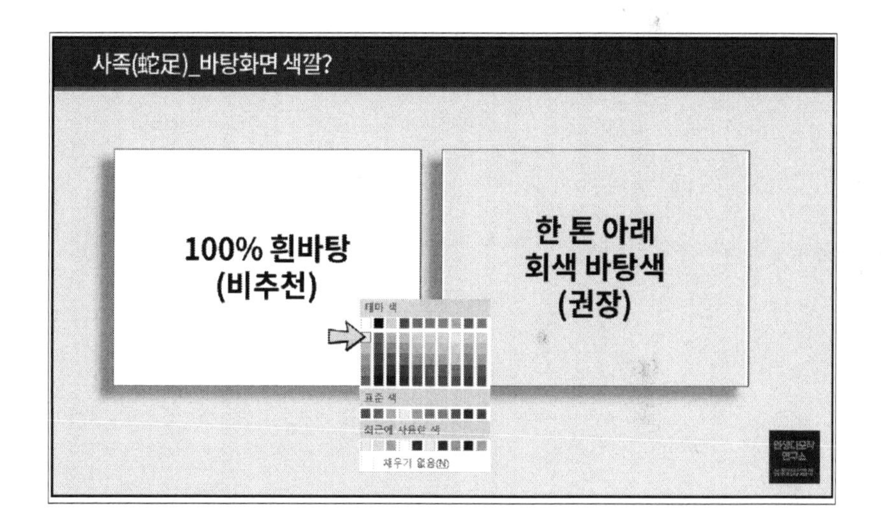

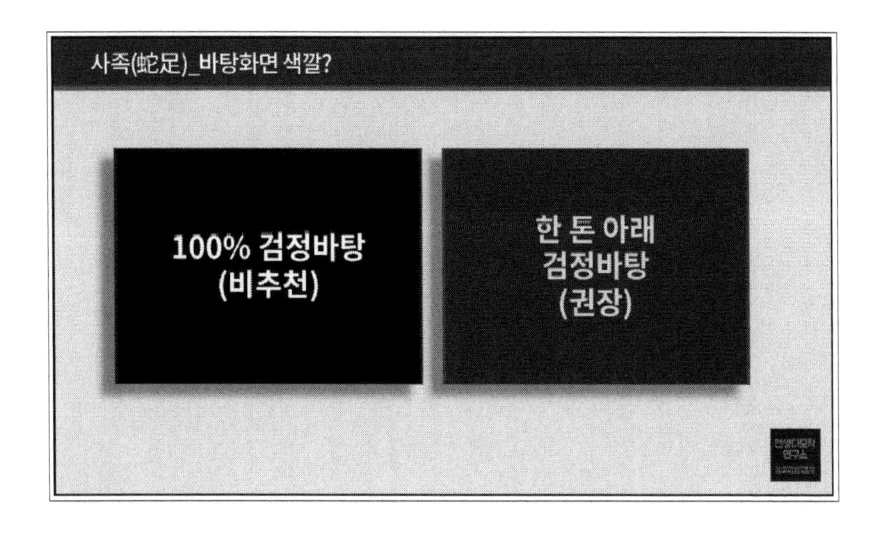

100% 흰 바탕색보다 한 단계 색이 바랜 회색조로 조정하고 글자도 완전 검정 글자보다 파워포인트 색깔 지정 메뉴에서 한 단계 색조를 낮춘 검은색을 쓰면 좋다. 100% 흰바탕에 100% 검은 글자는 오래 보면 눈이 피곤해진다. 위 개선 사례처럼 바탕색을 흰색이 아닌 거무스름한 색으로 지정해도 글자 가독성이 좋아진다. 생애설계라는 강조해야 할 중심 단어는 같은 글꼴의 굵은 폰트를 썼다.

2. 프로의 슬라이드 장표 작성을 위한 잡기술

전문 디자이너처럼 탁월한 디자인 감각이 없다면 글꼴을 제대로 쓰는 것이 대안이다. 한눈에 봐서 슬라이드 장표 디자인이 촌스럽고 아마추어 같다는 느낌이 나는 것의 상당수 원인은 글꼴 사용이 서툴러서 그럴 수 있다. 잘 만들어진 슬라이드 장표를 보고 나도 따라 만들어보려 하지만, 내가 만든 건 이상하게 좋아 보이지 않는다. 이때 고민하지 말자. 나의 디자인 감각은 노력 여하에 따라 차츰 향상되겠지만 지금 당장 문제다. 그렇다면 올바른 글꼴 사용법부터 익히는 것이 현실적인 대안이다. 앞서 언급한 컬러, 폰트 종류, 크기, 강조, 자간, 행간을 고려한다면 절반 이상은 성공이다. 일관성 있게 원칙을 잘 지키면 글꼴 사용만으로도 아마추어 티를 벗을 수 있다. 그렇다면 글꼴 사용에 있어서 일관성 있는 원칙이란 무엇일까.

» 가독성 높은 무료 글꼴(폰트) 추천

강의할 때 슬라이드 장표로 사용하는 글꼴은 크고 굵게 사용하는 제목을 쓰는 용도의 강조 글꼴 하나와 일반적인 내용을 적는 본문 글꼴 하나로 두 가지 혹은 하나를 추가하여 최대 세 개 글꼴 정도만 사용하길 권한다. 이것이 원칙이라면 원칙이다. 그 이상 글꼴 사용을 남발하면 어지럽고 촌스러운 느낌이 난다. 일관성이 떨어진다.

슬라이드 장표를 촌스럽게 만드는 또 하나의 요인은 글꼴 크기를 슬라이드 장마다 멋대로 쓰는 행위다. 장표 일관성이 떨어진다고 말한다. 글자 크기는 제목과 본문으로 구분하여 슬라이드 장표마다 일관성 있게 같은 크기와 간격으로 쓰길 권한다. 프로가 만든 세련된 장표는 한두 장으로 판단되지 않는다. 강의 전체 슬라이드 구성에서 안정감과 일관성이 있다. 도형이든 글꼴이든 색깔이든. 특정 부분을 강조한답시고 글자나 이미지를 엄청나게 크게 쓰지 않았으면 한다. 물론 글자 크기 조정도 강조의 한 방식이지만, 강조를 위한 다른 방법도 많다. 굵은 폰트를 쓰든지 색깔을 달리하든지 아니면 바탕색이 대비되는 글자 크기만 한 도형을 바닥에 형광펜처럼 은은하게 깔아주는 방법 등이 있다. 글꼴 크기의 기준은 따로 없다. 가독성을 고려하여 제목과 본문 글자 크기 그리고 상하좌우 여백을 강사 본인이 정하면 된다.

필자는 강의 슬라이드를 만들 때 딱 두 가지 무료 폰트만 사용한다. 같은 글꼴에 굵기가 다른 폰트까지 포함해도 기껏 서너 가지다. 제목처럼 크고 굵은 글자를 쓸 때는 레시피코리아(Recipekorea)체를 쓴다. 비슷한 글꼴로 에스코어드림(SCDream) 제일 굵은 폰트도 레시피코리아체와 모양이 유사하다. 신뢰감과 안정감을 주는 굵은 고딕체다. 본문은 노토산스(NotoSans CJK) 굵은 글꼴(Bold)체와 보통 굵기의 미디움(Medium)체를 쓴다. 이렇게 총 세 가지다. 무료 글꼴인 노토산스 글꼴의 특징은 기본 고딕체로 디자인이나 가독성이 무난하고 특히 영어와 혼용이 가능하다. 별것 아닌 것 같지만, 영어와 혼용이 가능하다는 점은 매우 큰 장점이다. 영어나 한자를 인식 못하는 글꼴도 많으니 글꼴 선택 시 참고하면 좋겠다. 앞서 파워포인트로 만드는 강의 자료에서 필자가 쓰지 않는 맑은고딕체를 언급했는데 맑은고딕체에서 자간을 좁히고 Ctrl-B를 눌러 굵게 강조하면 그나마 노토산스 미디움체와 비슷한 모양이 나온다. 아래 그림은 맑은고딕 폰트와 노토산스 글꼴 비교다. 네 개의 샘플 중 가독성이 어느 것이 나은지 한번 보자. 보는 사람마다 호불호가 있겠지만, 한눈에 봐도 우측 샘플 두 개가 가독성 면에서 더 나아 보인다. 그러니 불필요한 추가 설정 작업이 귀찮다면 맑은고딕 폰트보다 처음부터 노토산스체를 쓰면 될 일이다.

맑은고딕, 문자간격 표준

100세 시대 어떻게 준비할 것인가?

미래를 예측하는 가장 좋은 방법은
스스로 미래를 만들어 가는 것

-피터드러커-

NotoSans medium, 문자간격 표준

100세 시대 어떻게 준비할 것인가?

미래를 예측하는 가장 좋은 방법은
스스로 미래를 만들어 가는 것

-피터드러커-

맑은고딕, 문자간격 좁게, 굵게

100세 시대 어떻게 준비할 것인가?

미래를 예측하는 가장 좋은 방법은
스스로 미래를 만들어 가는 것

-피터드러커-

NotoSansbold, 문자간격좁게

100세 시대 어떻게 준비할 것인가?

미래를 예측하는 가장 좋은 방법은
스스로 미래를 만들어 가는 것

-피터드러커-

글꼴 파일 언급하면서 추가로 하나 말씀드리자면, 반드시 무료 글꼴인지 확인하고 사용을 해야 한다. 내가 돈 주고 산 유료 글꼴이 아닌데 저작권이 있는 유료 글꼴을 강의실에서 쓸 때 문제가 생길 수 있다. 특히 교육생에게 강의 교재를 사전에 나누어주는 경우 글꼴이 외부로 노출된다. 이를 악용하여 글꼴 제작업체에서 법무사를 고용하여 합의금이나 보상을 목적으로 고발하는 '글파라치' 사례도 있음을 알자. 예를 들면 한글과 컴퓨터 프로그램에 있는 'HY(한영)'가 들어가는 글꼴은 한글과 컴퓨터 한컴 한글 프로그램에서만 무료 사용이 가능하다. 만일 파워포인트에 설치된 HY 폰트가 들어간 글꼴을 쓴다면 저작권 위반이다. 파워포인트 프로그램에는 HY글꼴이 기본적으로 설치되어 있어서 무료 글꼴로 알고 강의 장표에 썼다가 HY글꼴 회사로부터 고발을 당하고 분쟁이 법원까지 간 사례를 뉴스에서 본 적이 있다. 최종적으로 법원에서 사용자 손을 들어줬지만, 피고발자인 일반 선량한 시민 측면에서는 난감하고 곤란하기 짝이 없는 상황이다. 일반 사용자로서 저작권을 왜 이런 구조로 만들었는지 이해할 수 없다. 반드시 무료 글꼴인지 확인 후 사용을 권한다. 위에서 언급한 '눈누(https://noonnu.cc)'라는 사이트에서 글꼴을 내려받을 때 무료인지 유료인지 어떤 환경에서만 무료로 사용 가능한지 저작권 허용 범위가 자세히 설명되어 있다. 예쁘다고 주변에 널린 글꼴을 함부로 사용해서는 안 된다.

글꼴 설치는 1분이면 끝이다. 무료 글꼴 파일을 내려받아 마우스 우클릭으로 복사 후 본인 컴퓨터의 C드라이브의 Windows 폴더 안에 있는 Fonts 폴더에 붙여넣으면 끝이다. 처음 가는 강의실에서 자신의 노트북이 아닌 현장에 설치된 컴퓨터에서 강의 파일을 띄워 강의한다면 반드시 내가 쓰는 글꼴이 설치되어 있는지 미리 확인해야 한다. 내가 쓰는 글꼴이 강의실 컴퓨터에 설치되어 있지 않으면 글자가 깨져서 보인다. 글꼴을 미리 설치하지 않아서 강의 시작하면서 글자 깨진 장표를 교육생에게 보여준다면 영락없이 준비 소홀 아마추어 강사다. 아니면 파워포인트에 기본으로 깔린 글꼴만 쓰시던가. 맑은고딕 폰트만 쓰지 말고 USB 저장장치나 클라우드에 내가 쓰는 글꼴 파일을 항상 저장해 두고 처음 가는 강의실마다 글꼴 설치를 미리미리 확인하길 권한다. 안 그러면 가독성 떨어지는 맑은고딕체만 써야 한다.

사족으로 대부분의 글꼴에는 파일 확장자가 .ttf와 .otf 방식 두 개가 있다. 가령 제목으로 쓰는 굵은 글꼴로 레시피코리아.ttf 파일과 레시피코리아.otf 글꼴이 있다. 둘 간 미세한 차이가 있다지만, 디자이너가 아닌 일반 강사에겐 무의미한 차이다. 파일을 내려받을 때 둘 중 하나만 내려받아 쓰면 되지만, 같은 글꼴이라도 이 두 개의 확장자를 컴퓨터는 다른 글꼴로 인식한다. 그러니 현장 강의실 컴퓨터를 사용하게 된다면 내가 작업한 확장자의 글꼴로 설치해야 현장에서 강의자료가 깨지지 않고 바로 보인다. 가령 내 컴퓨터에서 노토산스.otf 글꼴로 작업했는데 강의실 현장에 있는 컴퓨터에 노토산스.ttf 글꼴을 설치했다면 안 된다. 같은 노토산스 글꼴이라도 .otf와 .ttf는 아예 다른 글꼴이라고 컴퓨터가 인식한다.

» 강의 중 동영상 재생 꿀팁

수강생으로 강의 듣다 보면 강사가 강의 중 동영상을 트는 데 애를 먹는 경우를 종종 본다. 영상 재생이 안 되거나, 소리가 안 나거나, 소리만 나오고 영상이 안 나오거나 등등 매끄럽지 못한 상황들. 강의 흐름이 끊겨 이럴 때 수강생은 잠시 눈살을 찌푸리지만, 강사의 속은 타들어 간다. 강의를 매끄럽게 만드는 파워포인트 동영상 재생 팁이라고나 할까, 별 것 아니지만, 알면 꽤 유용한 동영상 재생 요령 한 가지를 공유하고자 한다.

초보의 방식

[사례 1] 동영상 재생 시 파워포인트 슬라이드쇼 화면을 내리고 파일관리자 폴더로 들어간다. 틀고자 하는 동영상이 들어있는 폴더를 열어 해당 동영상 파일을 클릭한다. 이 경우 강사가 강의 중 컴퓨터가 있는 곳으로 이동하여 슬라이드를 화면에서 내리고 영상 파일을 더블클릭해야 하는 번거로움이 있다. 동영상 재생까지 강사가 기기를 만지는 그 짧은 순간에도 자칫 강의의 흐름이 끊길 수 있다.

[사례 2] 슬라이드를 내리고 유튜브 페이지를 연다. 유튜브 페이지 검색창에 강사가 원하는 검색어를 입력 후 유튜브에 있는 영상을 튼다. 혹은 미리 복사해 둔 유튜브 링크 주소를 클릭한다. 이때 강의실 컴퓨터에 인터넷 접속 환경이 불안정하여 매끄러운 재생이 안 될 수도 있다. 강사는 당황하고 청중 여기저기서 탄식이 나온다.

[사례 3] 영상을 틀었는데 소리만 나오고 화면은 안 나오거나 아예 재생 자체가 되지도 않는다. 강사는 또 당황한다. '아, 컴퓨터에 무슨 문제가 있는 것 같습니다. 쉬는 시간에 확

인해 보겠습니다. 그냥 다음으로 넘어가겠습니다.'라고 말한다. 강의실 여기저기서 비아냥의 한숨 소리가 들린다.

프로의 방식

파워포인트 메뉴 - 삽입 - 비디오에서 옵션을 '마우스 클릭 시'로 애초에 지정해 둔다. 별도 파일을 찾아 클릭하지 않고 슬라이드 장표에 동영상 파일을 미리 이식해 둔다. 파워포인트 파일 용량이 커지더라도 동영상 삽입 시 '마우스 클릭 시'가 아닌 강의 파일 용량을 줄이기 위해 '파일 연결'로 지정해서 쓰면 강의실에서 구동이 안 될 수도 있다. '파일 연결' 메뉴는 컴퓨터 하드디스크 폴더 안에 해당 영상과 경로가 맞아야 한다. 같은 폴더 내에 해당 영상 파일이 존재해야 하는 전제조건이 있다. 이런 경우 강사 자신의 노트북을 쓰지 않을 때 문제가 발생할 수 있다. 그냥 슬라이드 장표에 영상 파일을 이식해서 쓰는 게 현명하다. 이렇게 설정해 두면 컴퓨터와 떨어진 곳에서도 프레젠터로 다음 버튼만 누르면 동영상이 자동으로 재생된다.

강의할 때 파워포인트 영상 재생 오류 사례 중 가장 흔한 원인은 강의실에 있는 컴퓨터의 파워포인트의 버전 문제다. 분명 내 집에서 내 컴퓨터로 잘 재생되던 영상이 정작 강의실에 있는 컴퓨터를 사용할 때는 '해당 코덱이 어쩌고저쩌고'하는 팝업창이 뜨면서 재생이 안 되는 경우가 있다. 이럴 때 강사는 매우 난감하다. '어, 분명히 집에서는 잘 됐는데....' 투덜거려도 현장에선 아무 소용없다. 각 강의실 컴퓨터에 설치된 파워포인트 버전에 따라 .mp4 확장자 파일이 재생 안 될 수가 있다. 파워포인트 버전에 관계 없이 마이크로소프트 MS-OFFICE를 쓴다면 동영상 재생 파일 형식은 무조건 .wmv로 바꾸길 바란다. wmv는 Windows Media Video의 약자다. 윈도우에 최적화된 확장자 파일이다. 동영상 재생은 그냥 wmv 확장자로 변경하여 쓰는 습관을 들이자. 참고로 필자가 사용하는 유튜브 영상 다운로드 사이트와 동영상 편집 인터넷 사이트와 프로그램을 소개한다. 시중에 동영상 편집 관련 도구가 워낙 많지만, 그래도 이것저것 사용해 보고 최종으로 필자가 선택한 도구니 독자에게 정보가 될 것 같아 남겨둔다.

- **유튜브 영상 다운로드 사이트**

: 모다담 www.youtubedownloader.kr

- 영상 속도 변경, 확장자 변경, 편집 등

1) 온라인 비디오 컨버터 https://video-converter.com/ko

2) 카카오인코더 https://www.cacaotools.com/cacaoencoder/

» 촌스럽지 않은 색깔 사용법과 아이콘 쓰는 법

파워포인트 슬라이드 장표에 어떤 색을 써야 할지 초보 때는 이런 것이 참 고민이다. 보통 파워포인트 상단 메뉴에 있는 색상표를 보고 대충 감으로 이미지 색이나 글자 색깔을 지정한다. '다자무자(多字無字)'라고 너무 많은 것은 없는 것과 같다는 말처럼 다양한 색깔 중 어떤 것을 써야 할까. 이것이 다 저것이다 고민하지 말자. 내가 색깔 쓰는 감각이 부족하고 쓰는 색마다 촌스럽게 보인다면 정답을 굳이 내가 찾지 말자. 시험 칠 때 공부 안 했으면 컨닝(cheating)이 최고다. 디자인 잘하고 색깔 감각 있는 다른 누군가가 이미 만들어 둔 조합에서 정답을 구하면 된다. 아래 그림을 한번 보자. 사각 이미지에 글자를 넣는다고 생각하고 도형과 글자 색을 어떻게 넣었는지 보시라. 참고로 네 가지만 색 배합을 해봤다. 어떤가, 봐줄 만한가 아니면 촌스러운가.

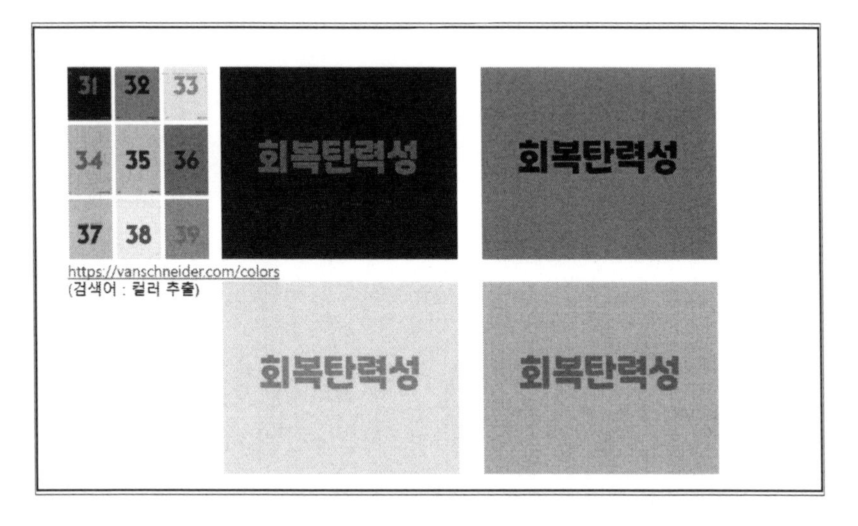

보색 대비 색상 대비 같은 미술 이론을 굳이 몰라도 이미 유수의 디자이너가 추출한 색상 조합이 인터넷에 널렸다. 검색창에 '컬러 추출', '색깔 조합' 등 비슷한 검색어로 우리는 인터넷에서 쉽게 전문가들이 이미 해놓은 색깔 배합을 참고할 수 있다. 참고로 위에 표기한 사이트는 'color claim'이라는 사이트에서 색상 조합을 캡처했다.(https://vanschneider.com/colors)

이 사이트에서 바탕색과 글자 색 120가지의 색 조합을 보여준다. 위 그림은 31번에서 39번까지 9개의 샘플 색깔을 캡쳐했다. 이런 색깔 조합은 파워포인트 기본 색상에는 나오지 않는다. color claim 사이트 색 조합표에서 원하는 색상 조합을 캡처해서 불러온 뒤 장표 옆에 붙여두고 파워포인트 스포이트 기능을 써서 적용하면 된다. 파워포인트 메뉴에서 칠하고자 하는 이미지를 선택 후 색 채우기 메뉴로 들어가서 스포이트를 선택하고 미리 캡처해 둔 색 조합표에서 원하는 색에 마우스 커서를 두고 클릭한다.

무료이미지 제공 사이트인 '픽사베이(https://pixabay.com)'도 유용하다. 사이트에 들어가서 검색창 옆에 photo가 아닌 illustration 메뉴를 선택 후 한글로 '컬러'라고 입력하면 아래 그림과 같은 다양한 색상 조합을 볼 수 있다. 여기서도 위 color claim 사이트처럼 같은 방식으로 사용하면 된다. 또 하나 추천할 만한 사이트도 있다. '핀터레스트(www.pinterest.co.kr)'라는 사이트다. 이 사이트에 들어가서 검색창에 'poster'라고 입력한다. 그러면 유명 디자이너들이 작성한 다양한 포스터가 나온다. 전문 디자이너들이 선택한 색 조합이라 매우 안정적인 느낌을 준다. 이것 역시 위에 설명한 것처럼 마음에 드는 색감의 포스터를 캡처 후 색 채우기 스포이트 기능으로 원하는 색을 찍어서 사용하면 된다. 이외에도 여러 사이트가 있다. 다양한 검색어로 전문가들의 색상 조합표를 찾아보길 권한다. 글꼴과 색상만 잘 써도 파워포인트 슬라이드 디자인 절반 이상은 성공이다.

픽사베이에서 검색한 색조합 판. 마음에 드는 것 골라 쓰면 끝.

[출처 : 핀터레스트(www.pinterest.co.kr), 입력창에 'poster'라고 입력하면 다양한 색감의 포스터 이미지가 나온다]

핀터레스트 사이트에서 가져온 포스터로 어떤 슬라이드 장표를 만들었는지 아래 예제를 한번 보자. 단순한 표지 장표지만 색깔이 안정감이 느껴지지 않는가. 조그만 사각형 이미지가 원본 포스터 이미지이며 가운데 큰 사각형 이미지 두 개가 해당 포스터에서 색을 추출하여 만든 슬라이드 장표다. 화려하지 않지만 적어도 촌스럽지는 않다.

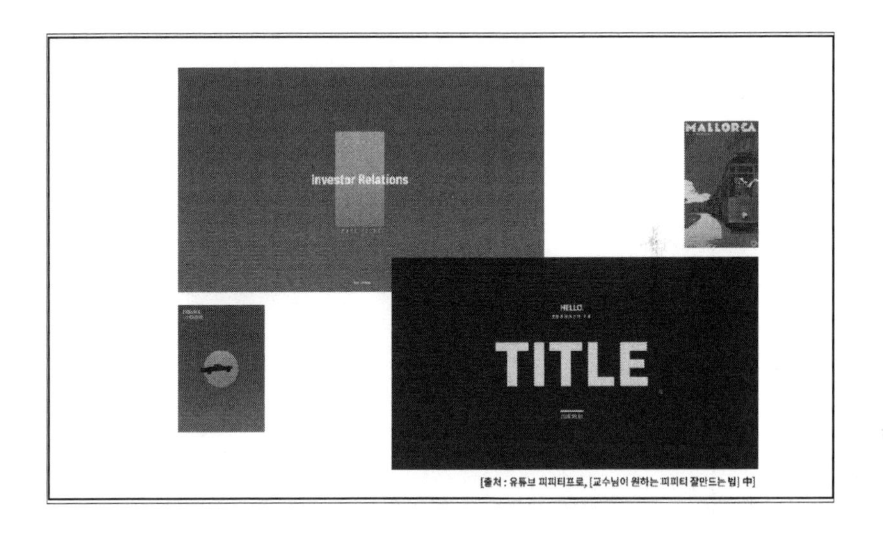

[출처 : 유튜브 피피티프로, [교수님이 원하는 피피티 잘만드는 법] 中]

또 다른 색깔 선택법 하나, 한 페이지에서 여러 가지 색을 써야 하는 경우다. 기본적으로 여러 가지 색을 쓰는 것을 권장하지 않지만, 굳이 여러 가지 색을 써야 할 때는 서로 비슷한 계열의 색을 선택하길 권한다. 아래 예시를 보자. 경력별로 1~3번 항목으로 구성한 강사소개 장표다. 투명 화살표로 표기한 각각의 색깔이 유사성이 있어 보인다. 여러 가지 색이지만 비슷한 색깔을 쓰니 그나마 튀지 않고 안정적인 느낌이다. 만일 2번 이미지에 1번 붉은색과 전혀 다른 인디고블루 같은 진한 파란색을 쓰면 어떨까. 너무 현란해서 촌스러운 장표가 될 터이다. 이러면 과유불급이다. 여러 색을 쓰는 것 자체를 권하지 않지만, 대비 효과를 위해 굳이 써야 한다면 아래 예시 그림 좌측 상단에 보이는 파워포인트 색상표에서 가로 방향이 아닌 세로 방향의 색을 연속 선택하여 쓰면 그나마 낫다. 세로로 정렬된 색은 명도가 조정된 것일 뿐 근본이 비슷한 색이다. 가로 방향 색은 완전히 다른 색깔이다.

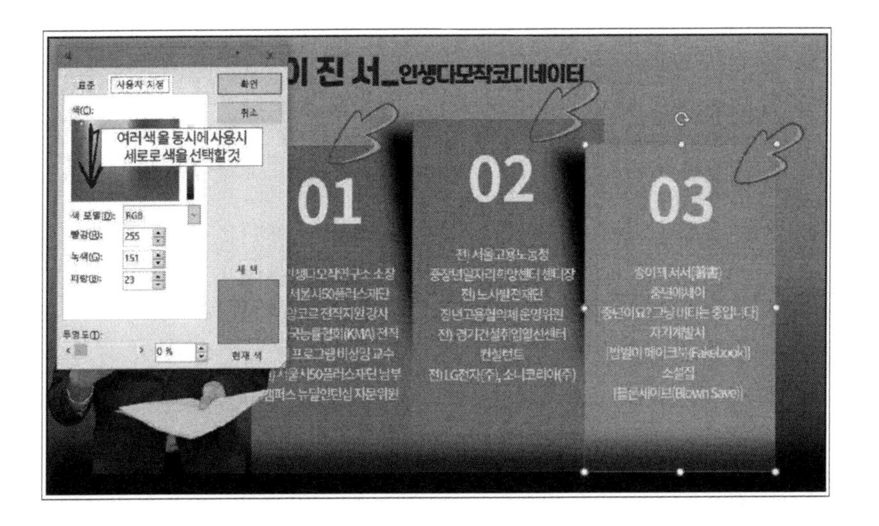

추가로 아이콘 이미지 관련 팁 하나 드린다. 파워포인트에 있는 도형이나 아이콘 이미지가 너무 기본형이라 각자 취향에 맞는 그림을 외부에서 찾아서 쓰면 더 질 높은 슬라이드 장표를 만들 수 있다. 아이콘 이미지를 제공하는 사이트가 워낙 많아서 일일이 소개하지 않는다. 필자는 플래티콘(https://www.flaticon.com)이라는 무료 사이트를 즐겨찾기 해서 쓰고 있다. 아래 예시는 플래티콘 사이트에서 '책'이라고 입력해서 나온 아이콘 이미지다.

또 하나, 아미지 아이콘 중 파워포인트에서 가장 많이 사용하는 이미지는 아마 화살표가 아닐까. 파워포인트에 기본으로 있는 화살표 이미지는 너무 기본형이고 밋밋해서 쓸 때마다 좀 아쉬웠다. 이런 문제 의식이 있으면 해결책은 간단하다. 조금만 눈품 손품만 팔면 구글에서 멋진 화살표를 찾아서 쓸 수 있다. 좀 귀찮아도 마음에 드는 것을 한번 찾아서 이미지로 저장 후 필요할 때마다 불러와서 쓰면 된다. 자원의 보고 구글, 우선 구글 사이트 접속 후 이미지 검색을 연다. 검색 단어마다 한 칸 띄어서 입력한다. 검색창에 단어를 한 칸 띄우면 검색기는 이것 또는 저것인 or(또는) 조건으로 이해해서 더 많은 검색 결과를 보여준다. 가령, 이렇게 검색창에 입력해보자.

'화살표 png' 또는 영어로 'arrow png'
'화살표 연필 png' 또는 이것도 영어로 'arrow pencil png'

아래는 검색 결과다.

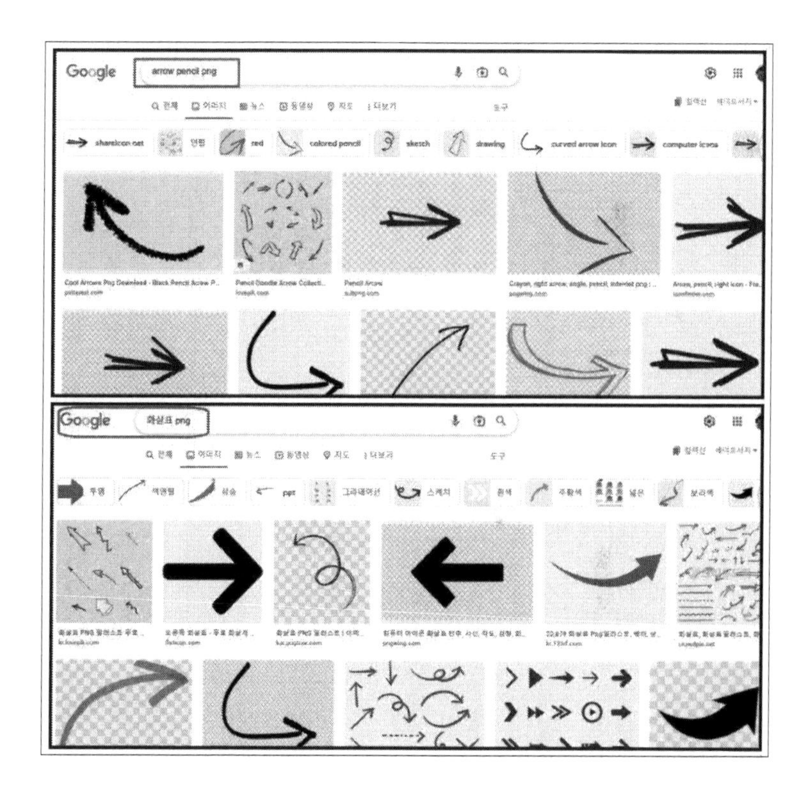

매우 다양한 화살표 이미지가 나온다. 내려받을 때는 당연히 배경이 제거된 파일로 받는다. 이미지 파일 확장자는 jpg보다 png가 좋다. 경험상 png 확장자 파일이 jpg 확장자 파일보다 화질이 더 좋은 것 같다. 이미지 파일은 무조건 png 확장자 파일로 받기를 권한다. 보다시피 파워포인트에 내장된 기본 화살표보다 훨씬 예쁘다. 손글씨 느낌도 좋다. 파일을 내려받으려면 해당 사이트에 로그인하라는 메시지가 나올 때도 간혹 있다. 회원가입은 극히 혐오스럽다. 그냥 주려 하지 않는다. 이럴 때 회원가입 하지 말고 키보드에 있는 'prtscr' 버튼을 눌러 화면 캡처해서 저장 후 remove.bg라는 배경 이미지 제거 사이트에 들어가서 배경을 지우고 저장하면 끝이다. 나의 슬라이드 장표에 더 좋은 품질을 위한 문제의식이 있다면 해결책은 널렸다. 장기나 바둑 기력 향상법을 서론에서 언급했듯이, 나의 실력에 관한 문제 의식이나 자각이 없으면 평생 제자리다.

» 알아두면 쓸 데 있는 유용한 인터넷 사이트 소개

강사라면 알아야 할 유용한 인터넷 사이트 혹은 유튜브 채널을 소개한다. 소개하는 사이트와 개인적 이해 관계가 전혀 없음을 밝힌다. 그간 강사로서 필자가 써보고 유용해서 공유하고자 한다. 유료 사이트는 모두 배제했다.

1) 슬라이드 템플릿 : allppt

www.free-powerpoint-templates-design.com

: 검색 포털 사이트에서 'allppt'로 검색하면 된다.

(all과 ppt를 붙여 쓸 것)

무료로 사용할 수 있는 슬라이드 템플릿 제공 사이트다. 슬라이드 장표 만드는데 익숙한 강사라면 굳이 쓸 필요 없지만, 슬라이드 디자인에 영 자신이 없다면 선택해서 사용해 볼 만하다. 화면 중간에 'View by Category' 메뉴에서 주제별로 파일을 내려받아 사용하면 된다. 비즈니스, 의료, 여행 등 주제 분야별로 디자인된 장표 서식을 다수 만날 수 있다. 템플릿 파일 안에 여러 인포그래픽 이미지도 있다. 이미 만들어진 이같은 슬라이드 탬플릿을 그대로 쓰지 말고 나의 취향에 맞게 약간씩 편집해서 쓰면 된다. 내가 그림을 그린다면 처음부터 빈 백지에서 시작하는 것보다 밑그림이 그려진 곳에 색칠만 하는 것만으로도 슬라이드 장표 만드는 수고를 덜어낼 수 있다. 또한 여러 디자인 아이디어와 색깔을 어떻게 사용하는지도 감을 잡을 수 있다.

이미 만들어진 슬라이드 탬플릿 사용시 주의할 점도 있다. 여러 주제의 탬플릿을 여기저기 가져다 쓰면 전체로써 디자인 일관성이나 색깔 통일성이 떨어진다. 누더기처럼 혼란스러운 강의 장표가 될 수 있다. 외부 탬플릿을 쓰더라도 전체 일관성을 유지하게끔 색깔이나 글꼴 크기 혹은 슬라이드 레이아웃 등을 비슷하게 맞춰주는 것이 바람직하다.

2) 무료 이미지 제공 사이트 : 언스플래시 & 픽사베이

: 유명한 사이트다. 언스플래시(https://unsplash.com/).

이미지를 제공하는 여러 인터넷 사이트가 있지만, 언스플래시를 추천한다. 픽사베이 사이트와 더불어 사용해 본 것 중 가장 좋았다. 고화질 이미지도 많고 찾고자 하는 이미지를 검색창과 카테고리를 통해 내가 원하는 사진을 쉽게 찾을 수 있다. 돈 내라고 귀찮게 유도하지도 않는다. 사진에 워터마크도 표시되지 않아서 좋다. 단지, 영문 사이트라서 찾고자 하는 이미지나 사진이 있다면 검색창에 영어 단어로 입력해야 한다. 그게 귀찮으면 찾고자 하는 사진에 해당하는 카테고리

를 클릭하면 자신이 원하는 사진을 쉽게 찾을 수 있다. 사진을 파워포인트 슬라이드 장표에 삽입할 때 대체로 배경으로 깔아줄 때 자주 사용한다. 밋밋한 흰색 배경보다 장표에 들어간 메시지를 전하고자 하는 가장 비슷한 이미지를 찾아 배경으로 깔아준다. 이때 언스플래시에서 내려받은 이미지를 그대로 깔면 그 위에 얹은 글자의 가독성이 많이 떨어질 수 있다. 이런 경우 배경으로 깐 이미지 위에 검은색 직사각형을 슬라이드로 전체로 덮어주고, 마우스 우클릭 메뉴에 있는 그림 서식 혹은 개체 서식에 들어가 '투명도'를 조정한다. 그러면 기존 사진에 덮은 검은색 직사각형이 선글라스처럼 투명도 값에 따라 필터처럼 밝기가 조정된다. 선글라스로 치면 아예 새까만 색보다 희미하게 내 눈이 밖에서 보일 정도의 투명도가 좋다. 그 위에 글자를 덧씌운다. 그러면 배경도 살고 내가 전하려는 글자도 가독성이 좋아진다. 내가 원하는 그림이나 이미지를 척척 그려주는 인공지능이 발달하면서 어쩌면 이런 이미지 무료 제공 사이트가 곧 없어질 날이 오지 않을까 우려한다.

3) 이미지 배경 제거 사이트 : https://www.remove.bg

: 포토샵에서 흔히 '누끼 딴다'고 표현하는 사진 배경 이

미지 제거 작업 사이트다.

파워포인트 프로그램 안에도 배경 제거 메뉴가 있지만, 기능이 다소 제한적이고 정교한 작업이 필요하면 추가 작업을 해야 하는 번거로움이 있다. 품질이 더 괜찮은 외부 사이트가 있으니 그것을 이용하면 좋다. 포털사이트에서 '배경제거'라고 입력하면 나오는 사이트다. 상품 제안서 같은 것 만들 때 혹은 강사소개 장표 만들 때 강사 사진 넣을 때 유용하다. 피사체의 지저분한 배경을 제거할 때 예전에는 보통 포토샵 프로그램을 썼다. 사용이 어려운 포토샵보다 이런 사이트에서 이미지만 올려놓고 실행 버튼만 누르면 사진의 뒷배경이 순식간에 제거된다. 품질도 포토샵 작업에 비해 못지않다. 단지 배경과 피사체 간 색깔 구분이 잘 안 되어 있어서 피사체와 배경 경계선이 모호한 사진의 경우에는 원하는 결과가 안 나올 수도 있으니 참고 바란다.

4) 동영상 파일 변환 프로그램 : '온라인비디오컨버터' 입력

: 파워포인트 장표에 동영상을 넣을 때가 많다. 이때도 약간의 노하우가 필요하다. 이미 언급한 대로 현장에서 강사가 동영상을 틀 때 여러 오류가 발생하곤 한다. 영상을 내려받고 슬라이드에 .wmv형식의 동영상 파일로 이식해야 구현이 완

벽하다. 간혹 현장에 있는 구형 컴퓨터를 사용할 경우 .mp4나 .avi등 다른 형식의 동영상 파일을 실행할 때 컴퓨터에서 '해당 코텍이 없어서 실행할 수 없다' 등의 메시지가 뜨면서 강사를 당황하게 하는 경우가 종종 있다. 강의실 컴퓨터에 설치된 파워포인트 버전에 따라 mp4 형식의 동영상이 재생 안 되는 경우가 있다. 자신의 노트북으로 강의하면 모를까, 행여 강의 현장에 있는 컴퓨터를 사용할 시 이런 현상이 종종 발생할 수 있다. 강의 중 이런 상황이 발생하면 강사도 당황스럽지만, 수강생도 맥이 풀린다. 여기 소개한 위 사이트가 .wmv 형식을 비롯한 여러 형식의 파일 변환에 유용하다. 파일 변환에 있어서 컴퓨터에 설치해서 쓰는 프로그램도 많지만, 프로그램 설치가 귀찮다면 이런 사이트 하나 즐겨찾기 해두면 요긴하다. 위 사이트에 들어가서 파일만 올려놓고 형식만 지정해서 클릭만 하면 끝이다.

동영상 파일 변환에 사이트가 아닌 프로그램을 설치해서 쓰고자 한다면 '카카오인코더(www.cacaotools.com/cacaoencoder)'라는 프로그램을 추천한다. 설치용 프로그램이라서 아무래도 위에 소개한 사이트에 접속해서 변환하는 것보다 기능이 더 다양하다. 그간 경험해 본 파일 변환 프로그램 중 사용법이나 기능 면에서 가장 무난했다. 검색창에

'카카오인코더'라고 검색하면 프로그램을 내려받을 수 있는 화면이 나온다. 자세한 사용법은 인터넷 검색하면 얼마든지 나오니 생략한다.

5) 유튜브 영상 다운로드 프로그램 : '모다담'

: 유튜브 영상 일부를 잘라서 강의에 사용할 경우가 있다.

유튜브 영상을 내려받는 방법은 매우 다양하지만, 딱 하나만 소개한다. 아쉽게도 프로그램을 설치해야 하는 귀찮음이 있지만, 여타 프로그램 설치 없이 사이트 내에서 내려받는 방식은 추천하지 않는다. 중간에 팝업 광고가 너무 많이 뜬다. 검색창에 '모다담'을 입력한다. 위 사이트가 나온다. 들어가서 내려받으면 된다. 다른 메뉴는 사용하지 않고 좌측 메뉴에 있는 'Web Download' 메뉴만 사용한다. 틀고 있는 영상에 이 버튼을 누르면 해당 영상 혹은 음성만 따로 추출해서 내려받을 수 있다. 소리만 필요하다면 '음성'을 클릭하면 된다. 영상 부분 내려받기 기능은 없으니 일단 영상과 음성을 포함한 전체 파일을 내려받고 필요한 부분만 잘라서 쓰면 된다. 영상 자르는 방법은 별도의 영상편집 프로그램을 쓰거나 컴퓨터에 기본으로 설치된 사진 앱으로 영상을 구동 후 메뉴에 있는 연필 모양의 '트리밍' 아이콘을 눌러 필요한 부분만 잘라 사용한다.

6) 무료 글꼴 다운로드 사이트 : 눈누 noonnu.cc

: 앞서 언급했지만, 한 번 더 언급한다. 무료 글꼴을 받을 수 있는 사이트다. 검색창에 '눈누'라고 검색하면 사이트 주소가 나온다. 여기에는 무료 글꼴만 올라온다. 안심하고 써도 되지만 혹시 모르니 파일을 내려받을 때 저작권 허용 범위를 꼼꼼히 읽어보고 강의에 사용할 때 무료인 경우만 내려받아서 사용하면 된다. 교육생에게 강의 교재를 출력하여 배포할 때 무료 글꼴 여부를 반드시 확인해야 한다. 저작권 위반을 빌미로 돈을 요구하는 '글꼴 파파라치'가 활동하고 있다고 알려져 있다.

7) 슬라이드 장표 만들기 관련 유튜브 채널

: 이젠 적어도 슬라이드 장표 만드는 데 애를 먹는다는 말은 하지 말아야 한다. 유튜브에 수많은 선생님이 계신다. 필자는 주로 이런 채널을 본다. 콘텐츠위드, 존코바, 이희정의 PPT 실무테크닉, 페이퍼로지PPT, 피피티프로 등. 이 정도 채널만 보고 약간의 연습으로 나의 슬라이드 장표 작성 실력을 개선할 수 있다. 고마운 분들이다.

3. 비대면 강의라면 강사가 꼭 파악해야 하는 것

얼마 전 2시간짜리 중장년 대상 취업특강 비대면 강의를 들었다. 나도 같은 내용 강의하는 강사로서 취업 관련 최근 동향도 알아보고 관련 분야에서 요즘 어떤 내용이 화두가 되는지 궁금해서였다. 고용노동부가 운영하는 워크넷(www.work.go.kr) 사이트에 고용복지정책 내 취업특강 메뉴가 있다. 여기서 누구든 취업과 관련한 무료 강의를 수강할 수 있다. 공공기관에서 일반 시민에게 무료로 제공하는 강의의 질적 수준이 대체로 그렇고 그렇지만, 그날 강의는 나의 눈과 귀에 적잖이 거슬렸다. 강의 내용은 그렇다 치고, 강의 진행면에서, 그리고 강사의 말 등에서 불편한 점이 매우 많았다.

그날 강의한 강사에게 꼭 알려주고 싶은 내용이다. 강사 당사자는 기분 나쁘겠지만, 추후 강사 개인의 발전을 위해서 수강생의 강의 평가를 잘 받아들이고 고쳐 나가면 더 좋은 강사가 될 수 있다. 하지만 안타까운 건 대개 강의 주관 기관에서 수강생의 강의 평가 내용을 해당 강사에게 잘 피드백해 주지 않는다. 아마 강사 자존심 건드리는 문제라서 그런 것 같다. 강사가 기분 언짢아도 참여자로부터 객관적인 평가를 받으면 좋다고 나는 개인적으로 생각한다. 필자인 나도 때로 강의하면서 교육생으로부터 혹평을 받은 적이 있다. 이 지점에서 '모두가 만족하는 강의가 어딨어?'라고 자기합리화하지 말고 쓴 약을 잘 받아들여 이후 수정하거나 개선한다면 강사는 분명 그만큼 성장한다. 특히 그날 비대면 강의에서 강사가 하지 말았어야 할 사항을 아래에 정리해 본다.

» 비대면 강의시 강사 금기사항 혹은 주의사항

1. 이런 말 하지 말 것

"오늘 제가 강의가 세 건이나 되서요, 지금 오전 강의 마친 후 점심 먹고 오후 4시간 강의가 있고, 또 집에 가서 비대면으로 저녁 강의도 있어요. 오늘 좀 힘들어 목소리가 잘 안 나올 수 있겠지만 그래도 잘 들어봐 주세요.."

교육생에게 그날 처음 보는 강사의 바쁜 일정 따위는 관심사가 아니다. 강사가 자기는 무척 유명하고 바쁘고 잘나가는 사람이라고 자랑하고 싶어서 하는 말처럼 들릴 수 있다. 게다가 강사 개인 사정으로 발생할 수 있는 문제를 교육생에게 양해를 구하는 상황은 교육생으로선 이해하기 힘들다.

2. 비대면 강의할 때 가급적 강의 보조자(진행 요원)를 둘 것.

비대면 강의는 대개 강의 주관처의 호스트 한두 명이 지원 겸 강의 모니터링 겸 강의실에 같이 입장하여 강사에게 도움을 준다. 그날 강의에서는 강의 보조자가 없었다. 강사 혼자서 비대면 환경 세팅하고, 출석 확인도 일일이 해서 증빙 남기느라 사진 찍기 바빴다. 여기저기서 잡음이 들리는데 수강생 마이크 음소거를 하는 사람조차 없었다. 보조 진행자가 없던 터라 강사 스스로 교육생들 음소거 버튼을 눌러 음소거라도 해야 하는데 바쁘고 정신없어서 그러지 못했다. 강의 내내 여기저기서 잡음이 유입됐다. 10시 정각에 시작한 강의가 출석 체크에 이런저런 불편한 일들로 시간 허비하고 10시 20분이나 되어서 강의가 시작되었다. 이는 강사를 탓할 일은 아니지만, 주최 측의 배려가 아쉽다.

3. 강의 전 참여자와 아이스브레이킹 혹은 마음 여는 라포(rapport) 형성 과정 필수

강의 보조 진행자가 없어서 그랬는지, 강사가 정신이 없었다. 수강생과 아이스브레이킹이나 일절의 소통 없이 바로 강의로 들어가서 시종일관 건조한 분위기 강의 후 끝냈다. 강사 소개 할 때 자신의 여러 강의 경력을 어필했던 것으로 보아 베테랑 강사 같았는데 좀 아쉬웠다. 내용도 재미가 없고 너무 뻔하고 흔한 이야기라서 비대면 강의장 분위기가 더욱 건조했다. 아무도 말 안 하고 채팅창에도 아무런 글 없이 썰렁한 그런 분위기. 강의 시작 후 15분 정도 지나면서 수강생 대부분이 비디오를 끄기 시작했다. 비대면 강의는 참여자의 얼굴이 나오는 비디오 화면을 몇 명이나 켜느냐가 강의 만족도 판단의 기준이 될 수 있다.

4. 쉬는 시간과 종료 시각도 확실하게 지킬 것.

강의 시작 전 출석 체크하고 이런저런 준비 한다고 20분 이상 시간을 잡아먹어서 그랬는지 모른다. 일절 양해도 구하지 않고 강사는 2시간 중 쉬는 시간 없이 그냥 쭈욱~ 달렸다. 10시에 시작해서 20분 잡아먹고 12시 15분이 되어서 마쳤다. 보통 10시~12시까지 2시간 강의라면 교육생은 이런 시간표를 기대한다. 10시 50분부터 10분 휴식, 11시부터 50분 강의 후 11시 50분 강의 종료. 하지만 그날 강의는 쉬는 시간도 없이 더구나 예상했던 강의 종료 시각도 훌쩍 넘겨 12시 15분이나 되어서 마쳤다. 나는 이 강의가 늦게 시작했어도 으레 11시 50분에는 마치겠거니 생각했지만 나 혼자만의 생각이었다. 12시가 조금 넘으니 교육생들이 채팅창을 통해 이제 그만 마치자고 불만들이 쏟아졌다. 강사는 묵묵부답이었다. 강사는 이날 채팅창을 전혀 보지 않았다. 일말의 소통도 없는 일방적인 강의였다. 12시를 넘기자 교육생들은 말도 없이 하나둘씩 강의실에서 퇴실하기 시작했다. 이런 강의가 교육생으로서 정말 최악의 강의다.

5. 채팅창을 모니터 화면 옆에 띄워놓고 보면서 강의할 것.

강사 측면에서 온라인 비대면 강의의 장점 중 하나는 채팅창을 통해 교육생과 실시간으로 소통할 수 있다는 점이다. 이는 오프라인 대면 강의 대비하여 매우 큰 장점이다. 이런 장점 덕에 여러 강사가 대면 강의보다 비대면 강의를 더 선호하기도 한다. 비대면 강의 특성상 교육 참여자와 소통은 강사에겐 필수다. 온라인 강의에서 소통은 대면 강의처럼 마이크를 열고 말로 하는 방법도 있고, 줌(zoom)이나 여타 다른 화상 강의 프로그램에 내장된 '반응' 메뉴의 '좋아요(엄지척)'나 '사랑해요(하트)' 등등의 교육생 감정을 표현하는 여러 이모티콘도 사용할 수 있다. 그중 가장 직관적이고 효율적인 소통 수단은 단연 채팅창이다. 오프라인 대면 강의에서 교육생은 강의 중간에 강사에게 질문하거나 강의 중간에 끼어들기 어렵지만, 비대면 화상 강의는 채팅창을 통해 교육생은 언제든 자신의 의견이나 질문 등을 남길 수 있다. 이런 장점이 있음에도 강사가 강의한다고 정신없고 바빠서 채팅창을 보지 않는다면 비대면 강의의 장점을 살리지 못하는 초보 강사다. 비대면 강의에서 강사가 채팅창을 안 보는 것은 초보 운전자가 처음 운전할 때 룸미러와 사이드미러를 안 보고 운전하는 것과 마찬가지다. 행여 강의 중 채팅창을 못봤다면, 강의 중간 쉬는 시간에라도 교육생이 적은 채팅 내용을 보고 그에 적절한 반응이나 피드백을 해야 한다. 비대면 강의에서 참여자와 채팅창을 통한 소통은 강사에게 필수다.

6. 많은 것을 알려주려는 무리한 욕심은 오히려 독.

그날 2시간 강의 초입에서 강사가 준비한 슬라이드 장표 수는 무려 150여 장이나 된다며 강사가 직접 자신의 준비성과 노력을 교육생에게 자랑했다. 하지만 그런 성의와 노력이 무색하게 이날 강의는 준비한 슬라이드 장표 60여 장만 강의 후 종료됐다. 시간이 초과하여 준비한 내용의 채 절반도 소화하지 못했다. 마지막엔 시간이 없다며 준비한 슬라이드를 '아시겠죠?', '이해되시죠?', '시간이 없어서 넘어갑니다' 하면서 대충대충 넘겼다. 매우 눈에 거슬렸다. 강사가 많은 자료를 준비한 성의는 알겠는데, 정해진 시간 안에 소화할 내용인지 강사가 제일 잘 안다. 초보 강사도 아니고 오늘 준비한 장표로 다른 수요기관에 가서도 똑같은 방식으로 강의하리라 생각되는데, 다른 데 가서도 이런 실수를 반복한다고 생각하니 같은 강사로서 나는 탄식이 나왔다. 너무 많은 것은 없는 것과 같다. 강사는 강의 시간 내에 전할 메시지를 분명히 해야 한다. 초보 강사일수록 내용 전달에 대한 욕심이 많은 점은 이해할 수 있으나 분명한 건 정보량과 유익함과는 별개다. '힘 빼고 강의하라'는 말처럼 실천하기 어려운 말이 없다. 필자 역시 초보 시절엔 뒤도 돌아보지 않는 '속사포 강사' 시절이 있어서 이런 안타까운 상황이 더 애잔하다.

7. 비대면 강의라서 슬라이드 장표 작성에 더욱더 신경 쓰기.

그날 강의에서 사용한 슬라이드 장표의 질은 정말 최악이었다. 별로 아름답지 않은 디자인이나 가독성이 떨어지는 장표 구성은 물론이고, 기본적인 철자법이나 띄어쓰기 등의 오류조차 너무 많이 눈에 띄었다. 강사 소개할 때 강의 경력이 꽤 있다고 자신을 소개했는데, 슬라이드 장표 만드는 것을 보니 영 초보였다. 오프라인 대면 강의보다 비대면 강의는 슬라이드 장표가 교육생 눈에 더 가까이 들어온다. 다른 건 몰라도, 장표 만들 때 띄어쓰기나 오탈자 그리고 오와 열 맞추는 아주 기본적인 것 정도는 제발 좀 지켰으면 한다. 시간이 없어서 매우 급조해서 만든 장표라는 것이 너무 표가 났다. 디자인 예쁘고 가독성 좋고 등은 바라지도 않는다. 띄어쓰기나 철자법 그리고 줄 바꿈과 정렬 정도만이라도 신경 좀 쓰자. 이런 기본기가 안 되어 있으면 수강생은 강의 내용에 집중하기 어렵다. 그날 강사는 자신의 노트북이 아닌 강의장 안에 있는 컴퓨터를 사용한다고 말했다. 이런 경우 자신이 만든 파워포인트 글꼴이 해당 강의실 컴퓨터에 설치되어 있지 않다면 슬라이드가 깨지거나 디자인이 헝클어지는 경우가 있다. 이런 경우를 대비해서 강의실 컴퓨터에서 내 장표를 띄워본 후 글꼴이 깨지면 내가 사용했던 글꼴 파일을 그쪽 컴퓨터에 미리 설치해야 한다고 앞서 필자가 강조한 바 있다. 글꼴 파일 설치는 채 1분도 안 걸린다. 내가 쓰는 글꼴 파일 마우스 우클릭하여 복사 후 windows 폴더 안에 있는 fonts 폴더에 붙여넣기만 하면 끝이다. 채 1분도 안 걸린다. 강의 전에 예행 연습 안 했다고 볼 수밖에 없다.

» 비대면 강의 시 수강생과 소통하는 방법 몇 가지

온라인 비대면 강의든 오프라인 대면 강의든 강의실 환경만 다를 뿐 본질은 같다. 앞서 참여식 교수법의 중요성을 언급한 것처럼 교육생과 참여와 소통이 원활할 때 성공한 강의가 된다. 필자가 그간 비대면 강의를 하면서 느꼈던 수강생과 소통하는 법을 하나씩 아래에 설명한다.

1. 강의 도입부가 중요하다.

교육생의 닫힌 마음을 여는 눈맞춤에 최대한 시간을 할애한다. 비자발적으로 참여한 교육생이 있다면 이들에게 강의 내용은 그다지 중요하지 않을 수 있다. 강의에 참여한 교육생은 일종의 가전제품이다. 가전제품을 쓰려면 전원부터 연결해야 한다. 상담 과정에서 상담자와 내담자가 마주한 시점에 양자간 라포(Rapport) 형성이 중요하듯, 강사는 최대한 기교를 활용하여 이들과 감정 전원부터 연결하려 노력한다.

2. 아이스브레이킹 기법

1) 강의 진행 공지사항 안내(구조화 작업)

: 비대면 강의에서 교육생 협조 사항을 안내한다. 참여동기 유발을 위한 강의 목차와 학습 목표 등을 세밀히 언급한다. 아래와 같은 줌티켓(zoom-eiquette) 안내 장표 등을

활용한다.

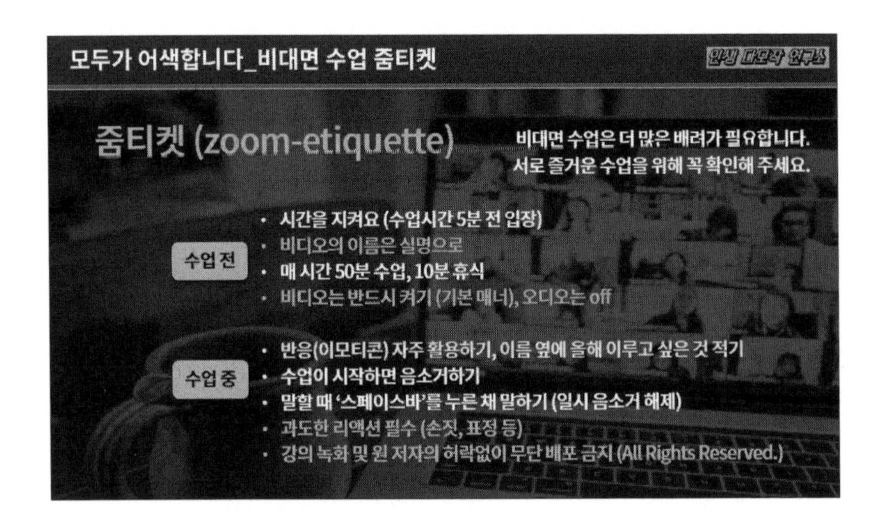

2) 자기 얼굴에 마우스 커서를 대고 마우스 우클릭 후 이름 바꾸기 메뉴로 들어가게 해서 본인 이름 옆에 별명(부캐), 전공, 강의에서 바라는 점 등을 한 단어로 적게 한다. 이런 과정으로 강사는 교육생의 욕구나 현재 상황을 대략 파악할 수 있다. 쉬는 시간에 교육생이 이름 옆에 적은 내용을 강사가 살피며 참여자 속성을 파악하는데 힌트로 삼는다.

3) 수시로 생존 신고 요청하기

: 수강생에게 반응 이모티콘 메뉴에서 하트나 손바닥 아이콘 찍어보게 한다. 아니면 채팅창에 아무 숫자나 글자

를 쓰게 요청한다. 비디오를 안 켜도 채팅창을 활용할 수 있고 이모티콘은 찍히니 내 강의를 듣는지 아닌지 강사가 확인이 가능하다.

4) 간단한 퀴즈로 참여 유도하기

: 퀴즈는 당일 강의 내용과 조금이라도 연관이 있는 것으로 선정한다. 여건이 된다면 퀴즈 정답자에게 줄 모바일 기프티콘 같은 깜짝 선물도 구비하면 강의 참여도가 급격히 올라간다.

3. 강사는 때때로 슬라이드 장표 화면 공유를 끄고 수강생 전체 얼굴을 살피면서 대화를 유도한다.

강사가 슬라이드 장표가 나오는 화면 공유를 끄면 수강생이 순간 긴장한다. 금방 강의한 이런 내용 어떻게 생각하시느냐 등의 질문에 관한 답변을 유도해 보며 교육생의 적극성을 확인해 본다. 수강생이 내 강의에 집중하게 하려면 강사가 수강생을 언제든 지목해서 질문할 수 있다는 무언의 압박을 수강생에게 주어야 한다. 강의 중간중간에 수강생을 지목하여 가벼운 질문을 하는 따위 말이다. 비대면 강의에서는 이게 매우 효과가 있다. 단지, 오프라인 강의와 마찬가지로 교육생에게 질문할 때 처음부터 한 사람을 지목하여 질문하지 말고 교육생 전체에게 질문 후 답변이 없다면 개별 지명하여 질문할 것을 권장한다. 교육생에게 생각할 시간을 주는 배려가 필요하다.

4. 채팅창에 올라오는 내용을 보며 강사가 수시로 피드백 해 준다.

채팅창에 남긴 교육생의 질문이나 메시지에 답을 하기 위해 잠시 강의 흐름이 끊어져도 상관없다. 강의 내용 전달만큼 교육생과의 소통도 중요하기 때문이다. 왜 이런 메시지를 남겼는지 해당 수강생에게 질문도 하며 수강생과 강사 간 '주고 받고'의 과정을 거듭할수록 강의실 분위기는 좋아진다. 비디오를 켜지 않은 수강생에게도 가끔 질문을 남긴다. 강의를 잘 듣고 있다면 채팅창으로 아무 글이나 이모티콘이라도 남겨달라고 수시로 주문해 보자. 해당 수강생이 비디오를 안 켰지만, 강의를 듣고 있다면 채팅창에 잘 듣고 있다고 메시지나 이모티콘을 남긴다. 교육생 측면에서 강의가 생각 이상으로 만족스럽다면 안 켜던 비디오를 켜기도 한다.

5. 상호작용은 채팅창에만 의존하지 말고 때로는 음소거 기능 해제로 음성 소통도 권한다.

컴퓨터 활용에 익숙한 젊은 수강생이라면 가끔 외부 애플리케이션 기능도 사용해 보자. 예를 들면 패들릿(Padlet)이나 멘티미터(mentimeter) 등. 이때는 사용자의 사용 능숙성을 사전에 파악해야 하고 프로그램 설치나 사이트 주소를 미리 안내할 필요가 있다. 다소 번거로울 수 있는 과정이다. 외부 사이트나 애플리케이션 사용은 꼭 필요한 경우에만 사용하자. 교육생의 적극적 참여나 활용 의지가 부족한 상태라면 오히려 부작용이 생길 수도 있으니 주의하자.

6. 강의 내용이 좋으면 좋을수록 수강생의 집중력이 높아진다.

본질적으로 강사는 강의의 질을 높이는데 신경 써야 한다. 소통도 좋지만, 본질은 강의에서 전하려는 메시지를 잃지 말고 강사가 중심을 잡아야 한다. 강의 내용이 교육생 기대에 미치지 못하면 수강 중 비디오를 중간에 끄는 경우가 다반사다. 강의 시작 후 얼마 되지 않아서 비디오를 끄는 교육생이 많다면 강사는 긴장해야 한다. 이런 강사는 강의가 끝나면 이렇게 투덜거린다. '오늘 참여자분들이 비디오를 많이 안 켜주셔서 혼자 벽보고 강의하는 것 같아 힘들었다고.' 이는 강사 본인 책임이 크다.

7. 가능하면 교육생에게 자신의 얼굴이 나오게 비디오 켜기를 권장한다.

비디오를 켜고 끄는 것에 따라 강의 참여도가 상당히 차이가 나는 것을 강사는 체감할 수 있다. 카메라를 켤 수 없는 물리적인 상황이 아님에도 카메라를 켜지 않는 이유는 두 가지다. 처음부터 소통 의사가 없거나 강사의 강의에 만족하지 못하는 경우다. 강의 도입부에서는 교육생이 비디오를 다수 켰는데 강의 시간이 흐를수록 점점 비디오를 끄는 교육생이 많다면 강사의 강의 만족도에 불만이 있다는 위험 신호다. 비디오를 켜 줄 것을 정중히 부탁하자. 억지로 비디오를 켜도록 만들 수 없다면 강의의 질을 높이는데 열중하자. 강한 바람보다 따끈한 햇살이 사람의 웃옷을 스스로 벗게 만드는 법이다.

8. 교육생 측면에서 강사의 강의 내용을 오프라인 강의실에서 육성으로 바로 듣는 것과 컴퓨터 스피커와 마이크를 통해 온라인으로 전해지는 것의 느낌이 사뭇 다를 수 있다.

강사는 비대면 강의라면 특히 입을 더 크게 벌리고 말을 천천히 또박또박 발음하는 연습이 필요하다. 줌(zoom) 프로그램에 녹화 기능이 있으니 사전에 내 강의 일부분을 녹화해서 스스로 점검해 보자. 반드시 개선해야 할 부분을 찾을 수 있다. 입을 작게 벌려 발음하여 우물우물하는 것처럼 발음이 부정확할 수도 있고, 말이 너무 빠르거나 혹은 느리거나 또는 '그, 저, 음...' 등의 불필요한 말 습관을 연발하는지 사전 점검이 필요하다. 남의 목소리를 들으면 개선점이 확실히 느껴지지만, 정작 본인의 발성이나 목소리 등의 단점이나 개선점은 누가 옆에서 말해주지 않으면 평생 모르고 넘어갈 수 있다. 특히 비대면 강의라면 반드시 자신의 강의를 녹화해서 한두 번 모니터링 해보자. 개선점 하나 이상 반드시 찾아낼 수 있다고 확신한다.

9. 강의 시작과 마칠 때 모두 음소거를 해제시켜 육성으로 서로 인사나 덕담 나누기를 하면 분위기가 좋아진다.

화기애애한 분위기에서 강의를 시작하거나 마칠 수 있다.

4. 아이스브레이킹(icebreaking) 및 스팟(spot) 활용법

아이스브레이킹 기법은 강의 초반에 활용하는 필수 기법이다. 강의 시작 후 참여자와 강사 간 편안한 분위기에서 서로에 대한 신뢰감과 일체감 그리고 적극적 수강에 대한 동기부여를 제공하는 활동이 아이스브레이킹이다.

성인학습자의 주요 특성 중 하나가 학습자끼리도 서로 배운다는 점이라고 언급한 바 있다. 강사는 강의 효율을 극대화하기 위해 강의 내용 전달 이외에 학습자 간 상호학습이 이루어질 수 있도록 멍석을 잘 깔아주어야 한다. 특히 짧은 특강이 아닌 긴 시간을 강의할 때 강의 도입부에서 교육생들이 서로를 알 수 있는 편안한 분위기를 의도적으로 연출해야 한다. 강사가 '나는 원래 점잖고 진지한 사람이라서 강의에만 집중합니다' 혹은 '제가 유머 감각이 부족해서 아이스브레이킹은 영 어색해서 안 하게 됩니다' 같은 변명은 하지 말자. 강사에게 아이스브레이킹은 교육생 간 상호학습을 위해서 내키지 않아도 해야만 하는 강의 초반부의 필수 과정이다. 아이스브레이킹 활동은 교육생 전원이 참여할 수 있도록 배려하고 당일 강의 조건이나 환경에 따라 적절한 시간 배분도 필요하다.

Icebreaking

Icebreaking 주의사항

- 특정 교육생을 희생양으로 만들지 않기
- 교육 시간, 강의실 환경, 교육생 특징에 따라 적절한 방법 및 시간 배분 필요
- 유머를 가장한 무리수 두지 않기 : 종교, 정치, 인종, 성별 등 소재 활용 유의
- 그날 강의 주제와 연관성 있도록 구성하기 (Spot 기법 공통 사항)

» 아이스브레이킹 활용 사례 예시

아이스브레이킹 기법은 다양하다. 필자는 '미인대칭' 기법으로 강의를 시작한다. 앞글자를 따서, 미소 짓고 인사하고 대화하고 칭찬한다. 강단에서 말할 자격이 충분히 있으니 한번 들어보면 유익할 것이라는 기대감을 심어주도록 당당하되 거만하지 않게 겸손하되 비굴하지 않게 자신을 소개한다. 강사와 교육생 간 서로 모르는 상태라면 너무 겸손한 강사소개는 권하지 않는다. 흥미를 유발하는 퀴즈로 시작할 수도 있다. 그날 강의 주제와 연관성이 있고 민감한 사안이 아닌 시사 뉴스로 화제를 꺼내기도 한다. 이틀 사흘 나흘 길게 이어지는 프로그램이라면 첫날 첫 시간은 자기소개와 팀 빌딩(team building) 시간을 반드시 가진다. 자기소개는 시작부터 교육생을 지목하여 시키지 말고 간단한 기법을 통해 팀 내에서 서로를 소개하며 부담을 줄여주는 방식을 권한다. 팀원을 인터뷰하며 소개하거나 상대의 얼굴 그려주기 혹은 A4 용지를 두 번 접어 삼각 네임 텐트(name tent)를 만들어 #해시태그(hashtag)로 자신을 설명하기 등 이미 알려진 여러 방법을 사용한다. 간단한 게임을 하고 우승팀에게 간단한 보상(선물)을 주는 것도 효과적이다.

팀 단합과 동질감 확보를 위한 팀별 게임 종류는 인터넷에서 쉽게 찾아볼 수 있다. 필자는 팀 게임이 필요할 때 '너도? 나도!' 게임이나 'OX퀴즈'를 간혹 한다. 이때 강의 주최 측에 사전에 부탁하거나 때로는 강사 자비로 우승 팀원에게 줄 간단한 선물도 준비한다. '너도? 나도!' 게임은 강의 시작 전에 별다른 준비물 없이 교육생의 관심사나 참여도를 확인할 수 있는 적절한 아이스브레이킹 도구다. 먼저 그날 강의 주제와 연관한 단어를 명사로 8개를 적게 한다. 다른 팀뿐만 아니라 팀원끼리도 서로 비공개로 적는다. 이후 팀별로 한 명씩 순서대로 적어둔 단어 하나를 부르게 한다. 이때 다른 교육생이 나도 그 단어를 적었다면 적은 사람 숫자만큼 점수를 받는다. 창의적이고 독창적 단어 기재보다 강사가 제시한 제시어에 관하여 누구나 해당 단어를 생각할 수 있는 보편적이고 공감적 생각에 점수를 부여하는 게임이다. 이렇게 몇 번 순번을 돌고 나서 전체 팀별 혹은 개인별 획득 점수를 취합 후 우열을 가린다. 팀 수에 따라 보통 두세 턴 정도 가진다.

팀 빌딩을 위한 게임을 할 때는 단지 웃고 떠드는 시간을 넘어서 그날 강의 주제와 연관이 조금이라도 있도록 설계하는 것이 중요하다. 연상하는 단어의 공통점 찾기 게임인 '너도? 나도!' 게임이라면 그날 강의와 연관한 주제어를 강사가 제시한다. OX퀴즈도 마찬가지다. 강의 내용과 무관한 재밌는 퀴즈도 준비하지만, 마지막 한두 문제 정도는 그날 강의 주제와 연관성이 있는 것으로 준비하면 좋다.

아이스브레이킹 준비할 때 또다른 고려사항은 적절한 시간 배분이다. 수일간 지속하는 교육 프로그램이라면 첫날 첫 시간은 온전히 아이스브레이킹 시간으로 할애해도 무방하다고 생각한다. 반면, 2시간 정도의 짧은 특강이라면 아이스브레이킹이 너무 길면 안 좋다. 필자도 어느 공공기관 2시간 특강 자리에서 아이스브레이킹 활동을 다소 길게 했던 경우가 있었는데 여지없이 그날 강의 만족도 평가에 그 점을 지적한 교육생이 있었다. 교육생 간 소통이나 편안한 강의실 분위기를 더 선호하는 교육생이 있는 반면, 전문성 있는 강사의 강의 내용에 시간을 더 할애했으면 하는 교육생도 있다. 짧은 강의 시간이라서 강의 내용에 더 집중하고 싶었는데 강의 초반 아이스브레이킹 시간이 아깝다는 그날 평가가 있었다. 아이스브레이킹도 때에 따라 이처럼 적절한 시간 배분이 필요하다. 과유불급(過猶不及)이라는 말은 언제나 진리다.

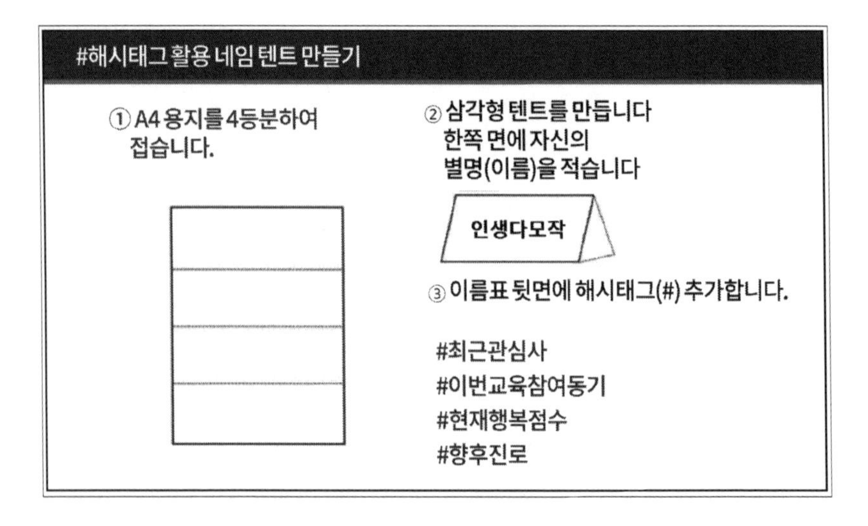

강의 도입 부분에서 유용한 아이스브레이킹 도구로 삼각 네임텐트 기법도 유용하다. 이 방법은 연일 이어지는 긴 시간 강의에 유용하다. 짧은 시간 특강이라면 그다지 권장하지 않는다. A4용지를 위 그림처럼 네 등분으로 접고 다시 펼치고 접어서 삼각 기둥을 만든다. 앞면엔 본인 별명이나 이름을 적게 하고 뒷면에는 최근 관심사나 교육 참여동기 혹은 본인의 한 줄 가치관 등 본인을 소개할 수 있는 내용을 위의 그림처럼 #해시태그 단어로 적게 한다. 10여 분 작성 시간을 주고 작업을 마친 후 팀원 서로 간 돌아가면서 자기소개 하면서 어색한 분위기가 좋아진다. 전체 교육생 앞에서 자신을 소개하는 일이 부담스러울 수 있으니 일단 심리적 부담이 덜한 팀원 간 소개를 권장한다. 연일 이어지는 강의라면 이렇게 만든 이름표를 다음 날에도 쓸 수 있도록 버리지 말고 명일 이어지는 강의에서도 사용을 권장한다.

상대의 첫인상 그려주기

별명

본인의 진로계획, 이루고 싶은 일

시작 전 서로에게 "미안합니다, 죄송합니다" 말하기

Sample

1. 빈 백지 좌측 상단에 본인 별명을 적습니다.
2. 백지 아랫부분 중앙에 본인 진로계획 및 올해 이루고 싶은 일을 기재합니다.
3. 팀원끼리 오른쪽으로 돌립니다.
4. 첫 사람이 헤어스타일과 얼굴 윤곽을 그려줍니다.
5. 종이를 옆으로 돌리면서 다음 사람이 눈을 그립니다.
6. 돌아가면서 코와 입을 그립니다.
7. 다음 사람이 귀를 포함하여 나머지 부분을 그립니다.
8. 상대에 대한 첫인상과 느낌을 포스트잇으로 붙여줍니다.

위 그림처럼 상대의 얼굴 그려주기도 강의 초반부 유용한 아이스브레이킹 도구다. 먼저, A4 용지 백지 상담에 자신의 이름이나 별명을 적는다. 이후 팀 내 오른쪽이든 왼쪽이든 기준을 정하고 타 팀원에게 내 종이를 넘긴다. 그 종이를 넘겨받은 상대는 상단에 적힌 교육생 이름과 얼굴을 보며 그 사람의 얼굴 윤곽만 그린다. 이후 또 옆으로 넘긴다. 넘겨받은 상대는 추가하여 헤어스타일을 그리고 다시 옆으로 넘긴다. 또다른 상대는 이번엔 눈코입 등을 그리게 하고 돌리고 돌리면서 나의 초상화를 마무리 한다. 받은 완성품을 들고 팀원에게 '나 이런 사람입니다'라고 각자 자기소개 하게 한다. 이 방법은 청년층이든 중장년층이든 처음엔 그림 잘 못그린다면서 어색해 하면서도 막상 시작하면 매우 즐겁게 작업하며 서로에 대한 경계심을 푸는 장면을 필자는 매번 목도하게 된다. 주의할 점은 처음에 얼굴 윤곽선을 그리는 사람이 처음부터 얼굴 윤곽을 조그맣게 그리면 별로 좋은 결과물이 나오지 않는다. 처음에 얼굴 윤곽선을 그릴 때 종이 공간 크기에 맞게 최대한 크게 그려달라고 강사가 말한다. 모든 실습 활동을 할 때 그라운드 룰(Ground Rule)이라 부르는 규칙을 강사가 알기 쉽게 설명해 주어야 혼선이 없다. 설명의 수준은 '중학생도 이해할 수 있을 만큼'이 원칙이다.

또 하나의 아이스브레이킹 기법은 퀴즈 기법이다. 아래 손 모양 그림을 보자. 이것은 파워포인트 애니메이션 기능으로 만든다. 먼저 맨 왼쪽 그림 핑거(finger)를 보여준다. 이후 애니메이션으로 그 다음 손 모양을 보여준다. 휘어진 것(훵거)과 주먹(오므링거)을 보여주고 맞추게 한다. 실제 강사의 의도는 맨 마지막에 보여주는 그림이다. 손바닥 그림을 보여주며 교육생에게 정답을 구한다. 이쯤 되면 눈치 빠른 교육생은 대개 정답을 맞춘다. 그 이후가 중요하다. 강사가 그때 장표 상단에 한줄 메시지를 애니메이션 기능으로 보여준다. '낙하산과 사람 얼굴 표정은 활짝 펴져야 한다고'. 이러면 교육생은 이 퀴즈를 낸 강사의 의도를 대번에 알아차리고 미소짓게 된다. 강의 초반부 어색한 분위기를 이런 퀴즈로 어색함의 빗장을 풀면 강의실 분위기가 금세 좋아진다.

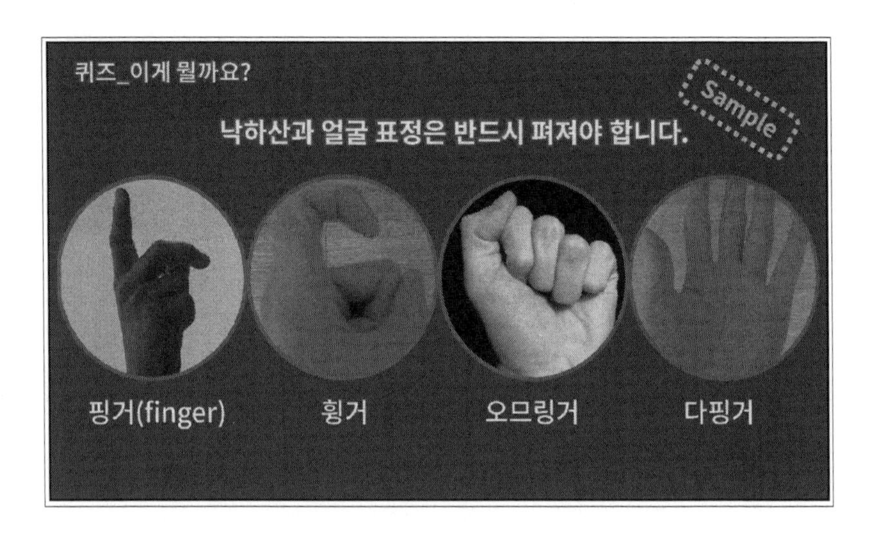

또 하나, 숫자 맞추기 기법도 있다. 여러 교육생이 모인 강의실에서 먼저 강사가 여러분과 강사와 교감을 위해 여러분과 저의 뇌를 서로 연결해보겠노라 밑밥(?)을 단단히 깔아둔다. 가전제품도 제대로 사용하려면 전원부터 꽂아야 함을 강조하면서 말이다. 진행 과정은 이렇다.

1) 1~10까지 숫자를 아무 것이나 하나 생각하라고 말한다.

2) 강사가 여러분이 생각한 숫자를 모두 맞춰보겠노라 말한다.

3) 생각한 숫자에서 곱하기 3(x3)을 하게 한다.

4) 곱해진 숫자에 또 다시 곱하기 3을 하게 한다.

5) 이렇게 두 번 3을 곱한 숫자에서 십의 자리와 일의 자리를 더하게 한

다. 가령, 애초에 5를 생각했고 그 숫자에 연이어 3을 곱하면 45가 된다. 45에서 십의 자리 4와 일의 자리 5를 더하게 한다.

6) 이러면 처음에 어떤 숫자를 생각해도 답은 항상 9로 나온다.

7) 그냥 9라고 정답을 말해도 되지만, 나는 항상 그 숫자에 임의의 숫자를 더하게 한다. 아래 그림처럼 필자는 2을 더한다.

8) 그러면서 아래 장표를 보여준다. 여기에 여러분이 생각한 숫자가 있는지 되묻는다. 물론 11이 있다.

9) 파워포인트 애니매이션 추가 기능으로 나머지 숫자는 다 사라지고 11 숫자만 가운데로 확대되도록 설정한다. 교육생은 깜짝 놀란다.

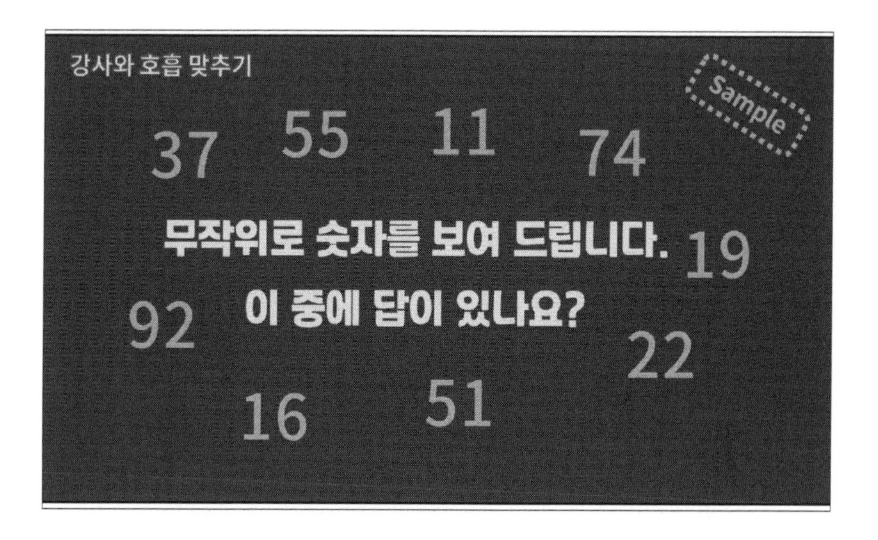

이 숫자 맞추기 게임의 핵심은 그날 강의와 연관성 있게

숫자를 설정하는 것이다. 가령 강의 참여자 수가 11명이든지, 강의 날짜가 11일이든지 등 얼마든지 끼워서 맞출 수 있다. 이렇든 저렇든 숫자는 9가 나오게 마련이니 맨 마지막 과정에서 나와야 할 숫자를 적절히 더하거나 빼게 한다. '오늘 열한 분 오셨는데 마침 오늘이 11일이네요' 등의 관련 있는 멘트로 강의를 시작하면 교육생은 절로 고개를 끄덕이게 된다. 앞서 언급했듯이, 아이스브레이킹과 스팟 활동은 '뜬금없다'는 느낌이 들지 않게 그날 강의와 조금이라도 연관성 있게 구성하는 것을 권장한다.

» 스팟 활용 사례 예시

아이스브레이킹과 유사한 기능을 하는 스폿(spot)이라는 기법도 있다. 흔히 '스팟'이라 부르는데 올바른 문자 표기는 '스폿'이지만, 보고 읽고 발음하기 쉬운 스팟이라고 쓰고자 한다. (소제목부터 이미 그렇게 썼으면서?) 한때 짜장면을 짜장면이라 쓰지 못하고 '자장면'으로 썼던 시대가 있었다. 영어 단어 스팟을 우리말로 대체하기 애매하다.

강의 윤활유, Spot

Spot 운영 주의사항

- 너무 잦은 스팟 활용 지양, 강의의 목적과 본질을 잊지 않기
- 내용의 수위 조절 필요, 누군가 불편해할 민감 소재 활용 자제
- 침묵하는 다수(Silent Majority)가 있음을 인식
- 스팟 내용은 가급적 강의 내용과 관련성이 있도록 구성
- 갑자기 '생뚱맞다'는 느낌 주지 않도록 구성
- 강사 이미지 실추 우려가 있는 내용이나 비속어 사용 등 지양
- 유머보다 위트

스팟의 개념은 짧은 시간 내에 교육생의 주의를 집중시키고 긍정적 참여를 유도하여 일체감과 성취감을 북돋는 강의 기법이다. 굳이 구별하자면 아이스브레이킹은 강의 시작할 때, 스팟은 강의 중간에 들어간다는 차이점이 있다. 성인 학습자가 학습 내용에 집중할 수 있는 시간은 대략 10분에서 15분 내외라는 사실이 정설이다. 강의는 주로 한 타임에 50분 정도 지속하니 지루한 강의만 계속 듣고 있으면 교육생의 집중력이 떨어질 수 있다. 설상가상으로 그날 강의가 어렵고 지루한 내용이라면 교육생은 10여 분 집중하다가 그대로 잠을 청하기 마련이다. 이때 주의를 환기하는 스팟 기법이 강의 윤활제 작용을 한다. 스팟 방식도 아이스브레이킹 기법과 별

반 다르지 않다. 간단한 스토리텔링으로 주의를 환기하거나 재미있는 퀴즈나 주제와 연관한 짧은 동영상도 좋다. 앉아서 하는 스트레칭 체조 같은 것도 점심시간 직후 등 적절한 시점에 필자는 종종 사용한다. '앉아서 하는 체조'라고 유튜브 검색창에 입력하면 매우 다양한 스트레칭 체조 영상이 나오니 참고하면 된다.

이런 스팟 사용할 때 주의해야 할 사항이 몇 가지 있다. 앞서 언급했듯이 서로 신체를 접촉하는 것들은 가능하면 쓰지 말자. 상대 어깨를 안마해주거나 등을 두드려주거나 등등. 요즘은 그런 세상이 아니다. 스팟 활동을 선택할 때도 시대 감수성이 필요하다. 너무 잦은 스팟 활동도 지양하자. 웃고 즐기는 시간은 좋지만, 강의 내용과 메시지 전달이라는 본질보다 앞서면 곤란하다. 내용의 소재나 수위 조절도 중요하다. 종교, 정치, 인종, 성별 등 민감한 소재는 사용하지 말자. 이런 민감 소재를 사용하고 수위도 다소 거북스럽게 높다면 자신은 유머라고 가장하지만, 자칫 불편해하는 참여자가 있을 수 있다. 강사는 자신의 말에 환호하는 소수보다 '침묵하는 다수(Silent Majority)'를 항상 염두에 두어야 한다. 아이스브레이킹이나 스팟도 가능하면 강의 내용과 연관성이 있으면 좋다. 갑자기 '생뚱맞다'는 느낌을 주지 않도록 소재 선전에 신경 쓰자.

대표적인 스팟 기법 몇 가지를 소개한다. 먼저 고전적인 O,X 퀴즈다. 파워포인트 애니매이션 기능으로 만든다. 문제를 보여주고 정답인 O나 X를 엔터키를 누르면 나타나게 만들면 된다. 인터넷에 웃고 즐길 수 있는 O,X퀴즈가 넘쳐나니 그 중에서 골라 쓰면 된다. 문항은 시간을 고려하여 5~7개 정도면 무난하다. 맨 마지막 문제는 그날 강의와 연관이 있는 문항으로 제시하길 권한다. 예를 들어 중장년 취업 특강 자리라면 맨 마지막 퀴즈 문항은 '신중년 고용율은 매년 증가하고 있다?' 정도면 무난하다. 정답은 물론 O다. 간혹 오프라인 강의에서 각자 가진 핸드폰으로 퀴즈 어플리케이션을 설치하게 해서 그 어플을 통해 퀴즈 맞추기 스팟을 활용하는 경우도 있다. 어플 설치나 사용법에 익숙하지 않거나 그런 과정을 귀찮아하는 교육생도 있을 수 있음을 감안하자. 한마디로 그런 방식은 위험부담이 있다. 강의 본질이 아닌 스팟 활동에 굳이 위험을 부담할 필요가 있을지 의문이다.

연일 이어지는 긴 시간 강의라면 위 그림처럼 스트레칭 체조를 넣으면 좋다. 특히 점심시간 이후 노곤해지는 오후에 삽입하면 금상첨화다. 경쾌한 배경 음악이 있는 스트레칭 체조면 더 분위기가 좋아진다. 유튜브 등에 '앉아서 하는 스트레칭(체조)' 등으로 검색하면 얼마든지 구할 수 있다. 유의할 점은 최대 5분이 넘지 않는 영상을 골라서 쓰자. 경험상 5분이 넘어가면 오히려 교육생의 집중력이 떨어질 수 있다.

또는 아래 그림처럼 보드게임도 스팟 활동의 한 유형이다. 아래 그림은 '스트림스(Streams)'라는 보드게임이다. 보드게임 교보재를 따로 판매하지만, 그것이 없어도 파워포인트에 그려서 시현할 수도 있다. 빈칸에 강사가 임의로 불러주는 숫자를 적도록 하는데 규칙은 최대한 오름차순이 되도록 만든다. 칸에 이미 쓴 숫자를 지우거나 이동할 수 없어서 뒤로 갈수록 어쩔 수 없이 밀려서 써야 하는 난제가 있다. 자세한 규칙은 인터넷에 검색하면 잘 나와 있으니 참고하길 바란다. 이 게임을 하는 이유는 전략적 사고방식의 중요성을 언급하고자 할 때 사용한다.

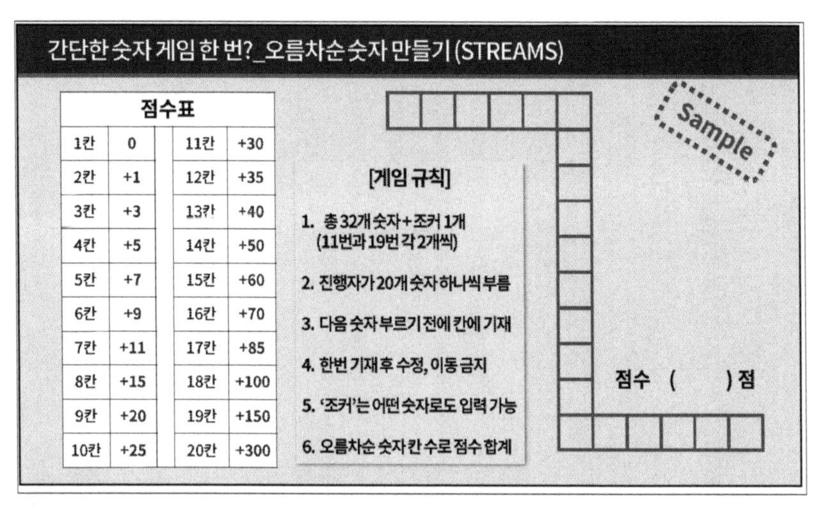

강사가 불러주는 숫자를 어떻게 기재하면 최대한 오름차순을 많이 만들 수 있는지 교육생은 고민해야 한다. 이런 과

정 자체가 재미며 활동이 끝난 후 강사의 의도를 알면 더 재미가 있다. 위 그림에서 언급한 것처럼 무리한 욕심 금지, 전략적 선택의 중요성, 집단지성의 힘 그리고 반복학습을 통한 최선(차선)의 방법 찾기가 이 게임의 메시지다. 이런 부분을 게임이 끝난 후 그날 강의와 연관할 수 있는 부분을 연결하여 강조한다.

보드게임 등 각종 게임을 스팟으로 활용할 때 주의사항이 있다. 게임 규칙이 간단하고 누구나 쉽게 이해할 수 있어야 한다. 오랜 시간 규칙을 자세하게 설명해야 하는 복잡한 규칙을 가진 게임은 스팟 활동으로 부적합하다. 게임 자체가 목적이 아니기 때문이다.

이밖에 드라마 중 한 장면, 개그 프로그램의 한 장면 등의 짧은 영상도 좋다. 단지 웃고 즐기는 내용이라도 강의와 연관하여 의미가 조금이라도 있는 것으로 선택한다. 경험 많은 강사라면 스팟에 활용할 수 있는 다양한 자료를 평소에 수집해 둔다. 필자도 직업병이 있어서 TV나 영화 혹은 책 등 어떤 콘텐츠를 접해도 '아, 저 부분은 강의 스팟으로 활용해도 되겠다'고 생각한다. 더 좋은 강의 콘텐츠를 위해 강사는 대체로 일과 휴식이 분리된 워라벨(work life balance)이 아닌 일과 휴식이 혼합된 워라블(work life blending)의 삶을 사시길 권한다.

Episode

강사를 간혹 애먹이는 강의실 기자재들

대중 앞에 서는 강사라면 공감하는 소재라고 생각한다. 가끔 강사를 애먹이는 강의실 기자재의 사소한 오작동 같은 사안들. 컴퓨터나 마이크 혹은 스피커 등등의 강의용 기자재는 정상 작동이 기본이다. 조금이라도 문제가 발생하면 강사에게 마이너스다. 몇 번 강의해 본 익숙한 강의실 환경이 아니라면 자신의 노트북은 들고 다니길 권한다. 한번은 이런 일이 있었다. 모 공공기관으로부터 섭외받아 가는 자리에 노트북을 빌려 쓰기로 사전에 협의했다. 개인 노트북 들고 다니기 귀찮아했던 시절이었다. 문제는 그 기관 노트북이 보안 설정이 매우 잘되어 있어서 그랬는지, 하필 외부 usb에 담아간 파일 일체를 불러오지 못했다. 바이러스나 여타 보완 설정으로 차단한다고 팝업창이 떴다. 그날 그 노트북에 세팅된 보안 설정으로 인터넷을 위한 와이파이까지 연결되지 않았다. 강의 시간이 임박했는데, 난감한 상황이었다. 급하게 핸드폰 핫스팟(hot spot)으로 인터넷에 연결 후 클라우드에 미리 저장해 둔 글꼴 파일을 불러와 설치하고 강의 파일도 바탕화면으로 불러와 강의했던 경험이 있다. 매우 번거로웠고 당황스러운 상황이었다. 시간에 쫓겨 자칫 강의 시작 시각을 놓칠 뻔한 상황이었다. 공공기관에서 사용하는 노트북이라 그런지 보안 설정이 매우 빡빡하게 세팅되어 있었던 사실을 나는 미처 알지 못했다.

이처럼 강의 외부 요소인 기자재가 강사를 애먹이는 사례가 종종 있다. 이 또한 강사의 복이자 운칠기삼(運七技三)이라고 해야 할까. 강의 기자재와 얽힌 몇 가지 에피소드를 전한다.

1. 강의실 컴퓨터에 글꼴 미설치로 인한 실수

: 강사는 현장에서 대체로 손에 익숙한 자신의 노트북을 사용하지만, 강의실 환경에 따라 그곳에 있는 컴퓨터를 써야 하는 경우가 있다. 음향이나 각종 연결 장치가 이미 고정된 강의실 같은 곳이다. 이런 강의실에서는 USB 저장장치나 클라우드 서버에 미리 저장해 둔 강의 파일을 현장 컴퓨터에 불러와서 강의한다. 강사 초보 시절, 내가 썼던 글꼴 파일을 현장 컴퓨터에 깜박하고 미리 설치해 두지 않아서 빔프로젝터로 보이는 글자가 온통 깨져서 보이는 경우가 있었다. 100% 내 실수였다. 그날은 강의실에 시간이 임박해서 도착 후 허겁지겁 USB 파일에 저장해 둔 파일을 현장 강의실 컴퓨터에 복사 후 제대로 한번 돌려보지도 않고 바로 강의에 임했다. 시간에 쫓겨서 그랬다지만, 단순 부주의다. 첫 시간 강의에서 글꼴이 다 깨져서 민망했다. 다행히 쉬는 시간에 글꼴을 재빨리 설치했다. 이후 강의 시간에는 별다른 지장 없이 마무리했다. 현장 강의실 컴퓨터를 쓸 때는 반드시 내가 사용하는 글꼴 파일을 별도로 내려받아 두었다가 현장 컴퓨터에 설치해야 한다. 물론 강의 자료 만들 때 파워포인트에 있는 기본 글꼴만 쓴다면 문제없지만, 대게는 여러 글꼴을 사용하여 강의 자료를 만드는 경우가 다반사다.

2. 고해상도 영상 사용 자제

: 또 한번은 이런 일도 있었다. 모 공공기관 대강당에서 백여 분 교육생 앞에서 강의하는 비교적 큰 강의 자리였다. 역시 현장 강의실 컴퓨디를 사용해야 하는 강의였다. 그날 강의에 2~3분 남짓한 시청각 교재로 고해상도 동영상이 몇 개 있었다. 이날 역시 리허설을 대충 한 것이 화근이었다. 강의 시작 전 준비한 영상이 잘 돌아가는지 끝까지 확인했어야 했는데 초반 5초 정도만 보고 '잘 나오네' 하며 방심했다. 막상 강의에 들어가니 문제가 발생했다. 영상이 처음 30초에서 1분 정도는 정상적으로 구동되다가 그 이후부터 버벅거리기 시작했다. 영상 절반 정도를 남겨두고는 영상이 아예 멈춰버렸다. 그날 준비한 영상이 모두 그랬다. 급한 김에 나머지 부분은 대충 말로 때웠던 애잔한 경험이 있다. 강의 후 기술 관계자분과 원인에 관하여 이야기를 나눴는데 최종 결론은 컴퓨터의 저사양 문제였다. 별도의 그래픽 카드가 없고 오래된 기종이라 고해상도 영상 가동에 문제가 있었던 것 같다. 이후 나는 동영상을 강의에 준비할 때는 해상도를 적절히 낮추어 저사양 컴퓨터라도 잘 구동될 수 있도록 준비한다. 강의 중 동영상 구동은 영상의 해상도보다 내용 전달에 지장 없이 일단 잘 구동되어야 한다.

3. USB 메모리 바이러스 감염

: 이런 일도 있었다. 역시 강의실 현장 컴퓨터를 사용해야 하는 경우였다. USB 메모리에 이미 저장해 간 강의 파일을 열기 위해 메모리를 컴퓨터 USB 단자에 꽂는 순간 팝업창이 떴다. 나는 부주의하게 팝업창에 뜬 메시지를 읽어보지도 않고 'YES' 버튼을 눌렀다. 그러자마자 무언가 프로그램이 하나 설치되었다. 신경 쓰지 않았다. 그날 강의는 별다른 문제 없이 진행하였다. 문제는 집에 도착 후 나의 노트북을 사용할 때 나타났다. 강의실에서 쓴 USB 메모리를 내 노트북에 꽂는 순간 무언가 알 수 없는 프로그램이 자동으로 설치되더니 내 노트북이 악성 바이러스에 감염되었다. 광고 팝업창이 지속해서 떠서 어떤 작업도 할 수 없게 만드는 악성 중의 악성 바이러스였다. 이렇게 저렇게 처리해보려 노력했지만, 나의 허접한 컴퓨터 사용 실력으로는 해결할 수 없었다. 결국 하드디스크를 포맷하였다. 기존에 있던 보물 같은 나의 수많은 강의 자료가 한꺼번에 허공으로 날아가 버렸다. 그날 강의실 컴퓨터가 이미 바이러스에 감염되어 있었다. 불특정 다수가 쓰는 공용 컴퓨터이다보니 그럴 수 있다. 이후 나는 강의 자료 저장은 컴퓨터 하드디스크와 더불어 반드시 (네이버)클라우드 서버에도 저장해 둔다. 아팠던 것만큼 성숙해진

다는 점을 배운 쓰라린 하루였다. 아프지 않고도 얼마든지 성숙할 수 있으련만.

4. 소리가 안 나와요

: 나는 강의에서 짧은 동영상을 자주 쓴다. 참여식 수업이나 시청각 교재의 중요성을 일찌감치 감지하고 매번 적절한 내용의 시청각 교재 활용이 내 강의의 강점 중 하나다. 하지만, 그날도 문제가 발생했다. 일찌감치 강의 한 시간 전에 도착하여 기자재를 점검하였으나 화면은 잘 보이는데 소리가 나오지 않았다. 당황한 강의 주관 담당자는 급히 관내 IT 기술자를 불러 문제를 해결하려 했다. 강의 10분을 남겨두고 최종 결과는 강의실 스피커 고장으로 판명하였다. 금세 교체하거나 수리할 수 있는 문제가 아니었다. 그날 온종일 강의하는데 화면만 보이고 소리가 안 나오면 그야말로 내 강의의 품질은 반으로 저하됨이 자명했다. 강의 품질에서만큼은 나도 양보할 수 없었다. 결국 모양새는 볼품없지만 강의실 천정에 달린 빔프로젝터와 노트북 컴퓨터를 HDMI 케이블로 직접 연결하기로 했다. 그러니 소리는 나왔는데, 그 음량이란 게 빔프로젝터에 내장된 조그만 스피커로 나오는 모기만 한 소리가 최대치였다. 이십여 명이 참여한 강의실에 턱없이

부족한 음량이지만, 없는 것보다 나았다. 선택의 여지가 없었다. 더 불행한 건 현장 강의실에는 기껏 1.5미터 정도밖에 안 되는 짧은 HDMI 케이블만 있었다. 천정에 달린 빔프로젝터와 교단에 있는 노트북과 연결할 케이블 길이가 아니었다. 할 수 없이 빔프로젝터가 달린 천정 바로 밑 책상 위에 의자를 두 개 올려 탑을 쌓은 후 빔프로젝터와 노트북을 연결하여 그날 강의를 마무리했다. 교육생도 강의실의 그 우스꽝스러운 모양새에 고개를 저었고, 강의 진행자는 돌발 상황에 대한 대처 미흡으로 교육생 앞에서 연신 고개를 조아렸다. 그나마 빔프로젝터에 자그마한 내장 스피커라도 하나 달려있어서 다행이었다.

5. 얄미운 무선 마이크 불량

: 마이크를 안 쓰면 안 되는 강의실 규모에서 강의였다. 나름대로 준비한다고 준비했는데 그날은 무선 마이크가 말썽이었다. 잘 되다가 짧은 순간 한 번씩 마이크가 작동이 안 됐다. 강사인 나는 강단에서 열심히 말하고 있는데 교육생은 내 말이 몇 초간 안 들리는 안타까운 상황이 강의 중 수시로 발생했다. 나도 불편했고 듣는 교육생도 불편한 상황이 연출되었다. 추측건대, 무선 마이크 수신기와 마이크 간 연결 상

태가 안 좋아서 그런지 끊어졌다가 이어졌다가 하는 상황이 반복되는 것 같았다. 쉬는 시간에 관계자분이 와서 이런저런 테스트를 해보고 결국 해결 안 돼서 그날은 유선 마이크를 쓸 수밖에 없었다. 유선 마이크 길이가 짧아 강의 중 동선 관리는 물 건너가 버렸다. 강의 중 동선을 잘 활용하는 나로선 매우 불편한 자리가 되었다. 누구를 탓하랴, 무선 마이크에 대고 불만을 토로한 하루였다.

Part 04

타산지석_30금(禁)
강사는 되지 맙시다

1. 강사에게 강의 만족도는 미래의 밥줄

강의 오랜 기간 하신 베테랑 강사분을 사석에서 만난 적이 있다. 후배 강사로서 나는 그분께 강사로서 발전하는 방법에 관한 조언을 구한 바 있다. 그때 그분께서 이런저런 좋은 말씀 많이 해주셨다. 그중 유독 생각나는 말이 있다. 강의 오래 하다 보면 별별 상황을 다 마주한다고, 특히 본인 강의에 관하여 혹평하는 소수의 교육생을 접하더라도 일일이 신경 쓰지 말라고 하셨다. 그 교육생 집안에 우환이 있어서 그렇겠거니 하며 가벼이 넘기란다. 그런 것까지 세세하게 신경 쓰면 머리 아파서 강사 오래 못한다고, 모두를 만족시키는 강의란 애초부터 무리가 따른다고 그분께서 말씀하셨다. 강단에서 오랜 기간 잘해오신 선배 강사님의 말씀이니 무시할 수 없는 말이다. 강의에 참여한 교육생의 기대 수준이나 동기 등 각각의 사정이 다르니 일견 맞는 말일 수도 있다. 일정한 경지에 이른 베테랑 강사라면 도(道)가 트인나고 해야 할까, 내가 자문을 구했던 그 선배님은 강사로서 분명 도를 터득한 분이다. 그런데도 나는 의문이 있다. 강사가 소수의 교육생이라도 자신의 강의 평가에 둔감할 수 있을까. 그리고 그런 자세가 일신우일신 해야 하는 강사에게 적절한 조언인지 나는 판단할 수 없었다. 집으로 돌아오며 나는 혼란스러웠다. 강의 평가에 일일이 신경 쓸 수 없을 만큼 내가 바쁘지 않다면, 피드백 받은 강의 평가 중 내가 인정할 수 있는 부분이 있을 때 웬만하면 받아들이고 고쳐보려는 자세가 올바르지 않을까 반문한다.

정답이 없는 세상에 사는 만큼 각자의 기준에 따라 판단할 일이다. 필자는 아직 전문 강사로서 경지에 이르지 못했는지, 타인의 강의 평가에 꽤 민감한 편이다. 강사의 태도나 전달방식 등등 강의 만족도 점수가 낮게 나오더라도 월등히 차별화된 강의 내용으로 청중을 압도할 수 있다면 위에 언급한 선배의 말이 맞을 수도 있다. 콘텐츠의 높은 질이 부족한 다른 면을 덮어버릴 수도 있다. 필자도 그간 동료 강사로서 혹은 교육생의 눈으로 수십 또는 수백 명의 강사를 만났다. 그중 본보기 삼을 만한 훌륭한 강사도 계셨고, 강사로서 여러 면에서 자질이나 태도 혹은 실력이 부족한 강사도 많았다. 훌륭한 강사가 되기 위해 중요한 점은 '좋은 강사가 되어야지'보다 '이런 강사는 되지 말아야지'라는 전략을 짜는 것이 더 효율적이고 현명한 방법이겠다고 생각이 든다. 고쳐 말하건대, 정답을 찾으려는 방법 중 확실한 하나를 고르는 것보다 아닌 것을 제거해보는 소거법이 강사 업계에선 더 괜찮은 방법일 수 있겠다고 판단한다. 일반적으론 단점 보완보다 강점을 극대화하는 선택이 인생 전반에 걸쳐서 더 괜찮은 선택이라고 혹자는 말한다. 순간의 선택을 받는 강사는 그렇지 않을 수 있다. 강사로서 단점을 가릴 만큼 장점이 크다손 치더라도 수요처의 선택을 받아야 하는 강사의 숙명 상 나의 강점을 증명할 시간과 기회가 부족하다. 그러니 오랜 기간 현업에서 활동을 원하는 강사라면 일단 가늘고 길게 살아남아야 한다. 강점 집중도 좋지만, 단점부터 고쳐나가야 하는 이유다.

이미 현직 강사라면 한번 생각해 볼 일이다. 좋은 강사의 필요조건을 백지에 숫자를 매겨가며 써보자. 반대로 이런 강사는 되지 마시라는 조언도 역시 숫자를 매겨서 적어보라. 장담컨대 후자가 두 배 세 배 더 많을 것 같다. 이 장에서도 좋은 강사의 조건보다 '이런 강사는 되지 맙시다'로 방향을 정하고 무려 서른 가지의 강사 금기사항을 나열했다. 이는 필자의 생각뿐만 아니라 과거 필자가 강의했던 강사 역량향상 교육 프로그램 등에서 관련 주제로 의견 나누기 실습을 거쳐 확인한 사항을 참고해서 나열한다. 이런 항목을 보면서 거울 보듯 타산지석 삼으면 강사는 발전한다. 하나씩 살펴보자.

2. 마이크를 쥔 강사의 금기사항 서른 가지

강단에 서는 강사에게 강의법이나 태도 관련한 정답은 없지만, 오답은 있다. 아래 서른 가지 강사 금기사항 중 자신은 현재 몇 가지에 해당하는지 점검해보자. 강사로서 내가 이런 문제가 있었다며 자각을 하는 것에서부터 개선점의 실마리를 찾을 수 있다. 모르면 강단에서 평생 같은 실수를 반복하게 된다.

1) '시간이 부족해서 이 장표는 그냥 넘기겠습니다'라고 말하는 강사
2) 강의 시작 후 마이크 음량 점검이나 컴퓨터 세팅하는

강사

3) 강사의 사전 준비 부족으로 중간에 강의의 맥이 끊기는 상황

4) 슬라이드 속 내용만 읽어대는 아나운시형(形) 강사

5) 박수나 관심을 구걸하는 관심종자형(形) 강사

6) '이해되셨죠?', '아시겠죠?' 등의 습관적 어투로 교육생에게 내용 이해를 강권하는 강사

7) 은근히 자기 자랑 많이 하는 강사

8) 단어, 음색, 목소리 강약, 속도 조절, 발음 등 전달력 떨어지는 강사

9) 교육생과 소통 없이 일방적으로 강의만 하는 강사

10) 유머 감각이나 위트 없이 진지하기만 한 강사, 재미없는 강사

11) 시대에 한참 뒤떨어진 옛날 자료 제시 등 전반적으로 준비성이 부족한 강사

12) 단정하지 못한 강사, 불편한 복장, 불손한 혹은 거만한 태도를 보이는 강사

13) 해당 분야 전문성이 현저히 떨어지는 강사

14) 쉬는 시간과 종료 시각 안 지키는 강사

15) 학습자(수강생) 욕구(needs)를 반영 안 하는

일방적인 느낌을 주는 강사

16) 가독성 떨어지는 장표와 장표 디자인이 너무 부실하게 준비한 강사

17) 한 장 슬라이드에 너무 많은 메시지를 욱여넣어 강의하는 강사

18) 비대면 강의 시 채팅창 안 보는 강사, 교육생과 의사소통 안 하는 강사

19) 강사 자신의 감정에 휘둘려 감정 오버(over)하는 강사

20) 반응을 잘하는 특정 수강생하고만 소통하는 강사

21) 시선 처리 불안한 강사, 시종일관 한쪽으로 시선이 쏠린 채 강의하는 강사

22) 참고자료 제시에 출처를 밝히지 않는 강사

23) 해당 분야 전문성이 의심되도록 너무 겸손한 강사

24) 아이스브레이킹이나 스팟 기법을 전혀 안 쓰는 강사

25) 정해진 시간 내에 할 수 없을 정도로 너무 많은 자료에 스스로 혼란스러운 강사

26) 농담 수위 조절을 못하거나 신중한 단어 선택에 소홀한 강사

27) 스토리텔링이라며 사적인 이야기를 너무 자주 하는 강사

28) 질문할 때 너무 특정인만 지목하는 강사

29) 정치적 발언이나 종교 인종 여성 편향적 발언을 일삼는 강사, 성인지 감수성이 부족한 강사

30) 강단에서 자기 저서를 지나치게 홍보하는 강사

추가적 언급이 필요한 몇 가지 항목에 설명을 덧붙인다.

먼저 1)번 항목, '시간 부족으로 이런 것은 그냥 넘어갑니다'라는 말을 남발하는 강사다. 이미 프로 강사이거나 강의 경험이 있는 여러분도 공감할 것으로 믿는다. 시간이 부족하다는 핑계로 본인이 준비한 슬라이드를 그냥 쭉쭉 넘기는 강사가 있다. 이 경우 청중은 강사에 대한 신뢰가 급속히 깨진다. '뭔데, 강의 시간도 파악 안 하고 강의하는 거야?'라는 의심이 든다. 또는 자신이 준비한 장표가 아닌 남의 것을 가져왔기에 자신과 잘 안 맞아서 그럴 수 있다고 생각한다. 무언가 준비는 많이 했는데 그냥 강의 기술이 부족하다는 느낌을 교육생은 받을 수 있다. 프로답지 않다.

다음으로 2)번 강의 시작 후 마이크 테스팅을 하거나 컴퓨터 설정을 만지는 경우다. 강사는 무대에 선 연기자다. 무대에 선 배우처럼 강사는 그날 강의를 위해 사전에 리허설이 필

요하다. 컴퓨터 세팅을 만지거나 마이크 음량 점검 같은 매우 기초적인 사전 작업을 강의가 시작한 후에 하는 강사가 종종 있다. 강의 시작 후 '아, 아, 저기 뒤에 잘 들립니까?' 같은 행동은 좀 안 했으면 좋겠다. 역시 프로답지 않아 보인다.

3)번 사전 준비 부족도 2)번과 마찬가지 맥락이다.

강의 도중 준비한 동영상이 안 나오거나 소리가 안 들리거나 등 사소한 문제로 강의의 흐름이 끊긴다. 이때 강사는 '죄송합니다'를 연발하며 이것저것 기자재를 만지거나 강의 보조진행자를 찾는다. 동영상이 안 나오는 것은 영상 파일을 슬라이드에 심어두지 않고 인터넷 링크로 연결한 경우에 그런 경우가 있다. 또는 강의실 현장 컴퓨터에 설치된 파워포인트 버전이 낮거나 영상 출력 코덱이 설치되어 있지 않아서 그런 경우가 대부분이다. 강의 중 유튜브나 검색 포털 같은 인터넷을 활용하는 강사라면 사전에 해당 컴퓨터의 인터넷 연결 상태를 확인 안 해서 그렇다. 강사는 강의 전에 미리 연습하면서 이런 세세한 부분을 확인했어야 한다. 간혹 듀얼 모니터 기능이 설정된 경우도 마찬가지다. 강사 자신의 컴퓨터 화면에는 보이는데 프로젝터 화면에는 슬라이드가 보이지 않는 사례도 있다. 이런 경우 '디스플레이 설정' 메뉴 '여러 디스플레이' 메뉴에서 듀얼 모니터 설정값을 '확장'이나 '복제' 등으로 미리 설정해 두어야 한다. 이는 간단한 컴퓨터 설정의 문제다. 원래 기본으로 설정이 잘되어 있지만, 시간마다 여러 강사가 들어오는 연강인 경우 강사마다 모니터 설정을 달리 할 수 있으니, 이런 프로그램에 소위 '낀 강사'로 중간에 들어간다면 모니터 설정 사전 확인이 필요하다.

쭈욱 건너 뛰어서 14)번 쉬는 시간이나 종료 시각을 맞추지 못하는 강사도 매우 심각한 사안이다. 강단에 선 강사 대부분은 수강생에 대한 애착이 있어서 자신의 시간 동안 많은 것을 전달하려는 욕심이 있다. 전달하고자 하는 내용은 많고 시간은 한정되니 자연스레 강의 시간을 초과하는 경우가 많다. 강단에서 마이크를 잡고 청중이 내 말에 귀를 쫑긋 세우고 있으면 누구든 우쭐하고 말을 더 많이 하고픈 충동을 느낀다. 강단과 마이크가 주는 이런 '마약'을 잘 통제하는 강사가 유능한 강사다. 다음 시간까지 지속하는 연속 강의라면 쉬는 시간까지 잡아먹는다. 그날 준비한 장표의 순서도 엉망이 된다. 강의를 듣는 사람도 강사가 시간을 맞추지 못하면 슬슬 짜증이 나게 마련이다. 성인학습자의 집중할 수 있는 시간은 그리 길지 않다고 누누이 언급했다. 정해진 시간에 끊어주고 참여자에게 쉬는 시간을 충분히 확보해 주어야 한다. 정해진 시간을 넘기면 변명의 여지가 없다. 강사의 준비 부족이다. 몇 번만 사전 연습을 해본다면 강사는 금세 알 수 있다. 내가 준비한 내용이 시간 내에 끝낼 수 있는 분량인지 아닌지를. 많은 정보를 제공하고 싶은 강사가 수강생에 대한 애정이라고 좋게 표현하지만, 이것은 그냥 단순히 강사의 욕심이다. 강사가 강의 내용에 관한 욕심은 필요하지만, 지나치면 자칫 핵심 메시지 전달에 실패할 수 있다. 특히, 시간마다 각기 다른 강사가 들어오는 연속 강의인 경우, 나의 뒤에 오는 강사를 배려해서 정해진 시간에 강의를 마쳐야 한다. 한번은 나의 앞 강사가 종료시각을 제대로 맞추지 못하고 20여 분이나 초과하여 강의를 마친 적이 있었다. 시간이 다 되어 뒤에서 내가 기다리고 있음에도 앞 강사는 끝까지 자신의 강의에만 몰두했다. 불가피하게 내 강의는 20여 분 뒤로 미루어졌고, 강의 진행자가 늦게 시작한 만큼 마칠 때는 정시에 마쳐달라고 내게 부탁했다. 이런 경우 나도 준비했던 강의 시간 배분에 혼선이 온다. 뒤에 오는 강사를 배려하지 않는 민폐 중의 민폐다.

사진을 예로 들어보자. 잘 찍은 사진은 담아낸 피사체만으로 메시지가 명확한 사진이다. 반면, 아마추어의 사진은 복잡하다. 초점도 잘 맞추며 선명하게 잘 찍긴 했는데, 찍은 사람이 무엇을 표현하고자 했는지 의도를 잘 알 수 없는 사진이 그렇다. 좁은 프레임에 너무 많은 피사체를 담아서 그런 경우가 다반사다. 사진이든 강의든 한정된 프레임(시간) 안에 너무 많은 것을 담으려 하면 오히려 독이 된다. 사진이나 강의는 '뺄셈(덜어내기)의 미학'이다. 전반적으로 강의에 익숙지 않은 초보 강사분들이 이런 실수를 자주 범한다. 이를 모르고 누군가 피드백해 주지 않으면 강단에서 평생 이런 악습을 반복한다.

별것 아닌 것 같지만 26)번 항목, 농담의 수위 조절이나 신중한 단어 선택도 부언이 필요한 부분이다. 강의하다 보면 간혹 강사가 강단에서 말실수하는 경우가 있다. 강의 분위기가 무르익어서 강사가 농담을 조금 심하게 하거나 단어 선택에 신중하지 못한 경우다. 그날 강의실 분위기가 좋다면 그냥저냥 넘어갈 수도 있는 문제다. 하지만, 언제나 복병은 따로 있다. 강사가 생각하는 농담의 수위나 신중치 못한 단어 선택에 청중 누군가는 불편해한다. 그런 것은 그날 강의 평가서에 그대로 반영되는 경우가 다반사다. 강의 내내 웃고 떠들고 분위기가 좋았지만, 막상 강의가 끝난 후 강의 만족도 평가서를 받아보면 강사로서 황당한 경우가 빈번히 발생한다. 뒤통수 제대로 맞은 경우다. 이는 필자의 실제 경험이다.

강의 분위기를 좋게 하려는 농담의 소재나 수위도 마찬가지다. 나는 아무렇지도 않게 생각하는 소재라도 듣는 청중 중 일부는 그것을 불편해하는 경우가 있다. 특히 성차별 같은 뉘앙스를 느낄 수 있는 남녀 성(Gender)에 관한 소재나 약간이라도 정치나 종교와 관련한 재료 등은 위험할 수 있다. 강사가 농담으로 아내를 '마누라'라고 표현한 점을 여성 비하라며 불편해하는 청중도 있다. 필자가 글쓰기 특강을 하면서 과거 정치인이었던 유시민 작가의 작법을 사례로 언급한 적이 있었다. 그랬더니 역시나 강의 종료 후 작가 유시민이 아닌 정치인 유시민으로 인식하고 이 사람 이름만 들어도 기분 나쁘다고 강의평가서에 혹평을 적어주신 교육생도 있었다. 강사의 의도와 무관하게 호불호가 있을 수 있는 소재(인물)를 선택한 강사의 불찰이다. 단어 선택이나 농담의 소재 관련 실수는 강의장 분위기가 좋을 때일수록 더욱더 조심해야 한다. 강사가 그날 분위기에 휩쓸려 '오버(over)'할 수 있다. 대부분 청중은 대수롭지 않게 느끼지만, 일부 청중은 기분이 언짢을 수 있다. 강사마다 이런 부분에 관하여 생각하는 바는 갈린다. 소수 청중의 속내까지 살피는 것보다 다수를 믿고 가야 한다는 강사도 있고, 소수라도 흠 잡힐 거리를 만들면 안 된다고 생각하는 강사도 있다. 필자는 후자에 속한다. 내 강의에 모두가 만족할 수는 없지만, 한두 명이라도 불만을 가질 만한 꼬투리가 잡히면 바람직하지 않다고 생각한다. 정치적 이념 편향성, 사회적 논란이 있는 이슈, 특정인이나 계층 차별 혐오 표현, 성인지 감수성 등 민감한 소재는 말하지 않는 것이 바람직하다.

마지막으로 지나치게 사적인 이야기를 많이 하는 강사 27)번 항목도 언급할 필요가 있다. 강의 내용 이해를 돕기 위해 스토리텔링 기법을 잘 활용하라고 이미 언급했다. 에피소드 제시나 사례 이야기는 훌륭한 강의기법이다. 하지만 사용 빈도나 내용이 문제다. 좋은 도구도 누가 쓰냐에 따라 요리하는 칼도 되고 상해를 입히는 흉기도 된다. 이른바 양날의 검이다. 강단에서 마이크를 잡으면 괜한 우월감이 생기곤 한다. 많은 청중이 내 말을 귀 기울여 듣는 것 같은 착각에 빠진다. 이때 강사는 교육생에게 더 많은 정보를 주려는 욕심이 생길 수 있다. 이때 교육생 누군가가 긍정적으로 호응하면 강사는 자연스레 말이 많아진다. 이럴 때 하지 않아도 될 불필요한 이야기를 꺼내곤 한다. 주로 지극히 사적인 이야기를 필요 이상으로 자주 하는 강사를 종종 목도한다. 사적인 이야기도 강의 내용에 부합하거나 흥미를 돋우는 이야기가 되면 다행이지만, 지나치면 문제가 된다. 듣다 보니 결국 은근한 강사 자기 자랑으로 끝나는 이야기거나 어렸을 때 찢어지게 가난했던 이야기 등 강사 본인 신세 한탄이나 하소연 같은 애절한 이야기 등 지나친 개인적 이야기는 듣기 불편하다. 강사는 마이크가 주는 달콤한 유혹을 적당히 조절해야 한다. 분위기에 휩쓸려 평정심 잃지 않는 강사가 되어야 한다.

3. 좋은 강사가 되기 위한 필요조건

그렇다면 좋은 강사는 어떤 조건을 갖추어야 할까. 위에 열거한 금기사항만 범하지 않으면 기본적으로 평균 이상의 강사지만, 우리의 목표는 거기에 머무르지 않는다. 필자가 현업에서 경험을 바탕으로 좋은 강사의 요건도 아래에 몇 가지 적어본다. 다소 주관적인 느낌도 있으니 참고만 하자.

1) 말 잘하는 강사보다 교육생에게 말을 잘하게 만드는 강사 (참여학습 교수법을 이해하는 강사)
2) 교육생을 존중하는 강사
3) 준비된 말이 아닌 가슴과 머리에서 자연스럽게 말과 행

동이 우러나는 강사
4) 교육생과 소통 능력이 탁월한 강사
5) 눈높이를 잘 맞추는 인간적인 매력이 있는 강사
6) 자신만의 창의적인 콘텐츠 구성력이 있는 강사,
분야 전문성이 탁월한 강사
7) 유머 감각과 위트를 겸비한 강사
8) 일신우일신(日新又日新)하는 강사,
최신 강의 자료 준비에 소홀하지 않은 강사

위 서른 가지 금기사항을 범하지 않고 좋은 강사 필요조건까지 겸비한 강사는 흔치 않다. 현실에서 보기 힘든 이상적인 강사의 상(像)이지만, 그렇게 되고자 노력은 해야 하지 않을까. 강사 금기사항은 일필휘지로 서른 가지나 적었지만, 좋은 강사의 필요조건 단 여덟 가지 적는 데 꽤 오래 걸렸다. 강의 내용 좋고 강의만 잘하면 금기사항 따위는 신경 안 써도 된다고 생각하지 말자. 정보의 비대칭성이 해소된 시대에 살면서 사람들의 기대 수준과 눈높이가 하늘 끝에 닿아 있다. 진정 실력 있는 프로 강사를 꿈꾼다면 강의 현장에서 매 순간 최선의 성과를 만들도록 노력해야 한다. 한 번 잘 못하면 다음이 없는 '원 스트라이크 아웃(One Strikeout)' 규정이 존재하는 강사의 세계에서 매 순간이 곧 미래의 밥줄이다. 강사 모두의 건투를 빈다.

4. 강사라는 업(業)의 본질

대중 앞에서 자신의 지식과 경험을 강의하는 사람, 즉 강사라는 직업을 다른 말로 바꾸면 지식 소매상이나 노하우 전달자 또는 교수, 교사, 선생님이라고 부를 수 있다. 바뀐 시대에 요즘 강사는 조금 다르다. 강사라는 직업 혹은 강의라는 행위의 본질이 바뀌었다. 인공지능 AI 시대에 사람들은 단순 지식 습득만을 위한 수강에 강의에 돈과 시간을 투자하지 않는다.

강의 참여자는 수강을 통해 변화한 자기 모습을 기대한다. '나도 저 사람처럼 될 수 있겠지', '나도 저렇게 부자가 될 수 있겠지' 또는 '저 강사 말대로 실천하면 나도 저런 능력을 갖출 수 있겠지' 하며 수강 후 마주할 긍정적인 자신의 모습을 기대하게 된다. 강사는 이런 수강자의 기대치를 충족시킬 의무가 있다. 비싼 강사료를 받는 이유가 여기에 있다. 연단에 선 강사는 세상에 둘도 없는 자신만의 지식체계를 설파하는 사람이 아니다. 스마트폰을 온 국민이 손에 쥐고 있는 한 그렇게 할 수도 없다. 강사라는 직업의 본질은 단순 지식 전달이 아닌 문제해결을 원하는 개인에게 초점을 맞추는 데 있다. 다시 말하면, 기존에 존재하는 여러 지식과 현상을 강사 자신이 가진 경험과 통찰로 재해석하고, 강의 참여자가 그 내용을 실천하도록 동기부여하고 행동을 조정하며 그들이 변화할 수 있도록 돕는 조력자(facilitator)가 되는 일이 강의 혹은 강사라는 업의 본질이다. 요즘 강사는 동남아 8개국 순회 강연을 마치고 바쁜 가운데 어렵사리 그 자리에 섭외된 사람이 아니다. 강사라면 무대와 마이크가 주는 무게와 그 자리에 선 사람으로서 업의 본질을 충분히 이해하고 있어야 한다. 시절 바뀐 줄 모르고 아직도 알량한 권위 의식에 빠진 강사를 현장서 볼 때가 많아 아쉽다.

Episode 

교육생으로 내가 만나본 최악의 강사

본업이 따로 있는 강사가 아닌 본업이 오직 강의라면 강사라는 직업은 외로운 직업이다. 강단에 오로지 홀로 선다. 행여 그날 강의를 망쳐도 일반 직장처럼 누구 하나 표면적으로 나를 질타하는 상사도 없다. 강사는 넘쳐난다. 강의 수요처 측면에선 다음에 그 강사 안 보거나 안 부르면 그만이다. 그날 처음 보는 사람인데 괜한 옳은 말로 서로 불편한 상황을 굳이 만들지 않는다. 누구나 시행착오의 과정은 있다. 강사 초보 시절이라면 누구나 한두 번 강단에서 실수하기 마련이다. 한두 번 실수가 실패로 고착하는 상황이 가장 안 좋다.

대부분 강사는 그날 강의 후 제대로 된 강의 피드백을 받지 못한다. 직접 내 강의를 들은 수강생은 물론이고, 강의 주관처 담당자도 굳이 시간 내고 애써서 강사의 추후 발전을 위해 교육생으로부터 취합한 이런저런 강의 피드백을 강사에게 전하지 않는다. 그날 강의에 실수하더라도 강사에겐 변명의 기회조차 없다. 이런 이유로 십 년 차 강사도 일 년 차 강사 같은 초보 티를 벗지 못하는 사례를 필자는 종종 확인한다. 어쩌면 나의 이야기인지도 모르겠다.

언젠가 수강했을 때 이야기다. 강사소개 할 때 꽤 쏠쏠한 강의 경력이 있는 강사였는데 그 높은 경력이 자신의 눈과 귀를 오만함으로 가려 교육생으로 불편했던 수강 사례를 소개한다. 남 이야기라 조심스럽지만, 강사로서 반면교사나 타산지석 삼을 만한 이야기라 지면에 남겨둔다.

하루 한 명씩 강사가 배정되어 이틀간 진행하는 직무 역량 강화 16시간 교육 프로그램에 나는 교육생으로 참여한 적이 있었다. 미리 제공된 교재에 적힌 강사 이력을 보니 두 분 모두 훌륭했다. 교육생으로서 기대감을 불러일으키기 충분한 경력의 소유자였다. 문제는 첫날에 발생했다. 첫날 강사를 편의상 A강사라 칭한다. A강사는 자신의 분야에 전문성은 물론이고 자긍심이 매우 강한 강사 같았다. 시종일관 이 주제로 자기만큼 강의 잘하는 사람 없을 것이라며 첫 시간부터 호들갑을 떨었다. 그의 역량을 알 수 없는 교육생으로서 너무 겸손한 자세보다 다소 과장된 자기소개가 강의에 대한 기대감을 불러일으켜서 그다지 나쁘지 않다고 나는 생각한다. 정도의 문제일 뿐이다. 처음엔 그려려니 했건만, 시간이 지날수록 나의 눈과 귀에 거슬리는 A강사의 중대한 과오가 하나씩 나타나기 시작했다. A강사는 사적인 이야기를 너무 자주했다. 강사 자신의 아내와 아들에 관련한 이야기, 자기 살아가는 소소한 에피소드지만 내용을 듣고 보면 스토리텔링 강의 기법을 빙자한 결국 자기 자랑 일색이었다. 한두 번이라면 모를까, 점점 이야기가 꼬리를 물고 길게 이어지고 다음 주제로 넘어가면 그는 또다시 관련한 사담(私談)을 길게 늘어놓았다. 하필 앞 좌석에 앉은 일부 교육생이 긍정적 호응을 해주자 A강사는 한층 들뜨기 시작했다. 제공한 교재 내용을 보니 이런 식이면 준비한 교재 내용을 오늘 내에 다 소화하지 못할 것이라는 나쁜 예감이 나는 들었다. 아니나 다를까, 차근차근 쌓인 문제가 마지막 시간에 터져버렸다. 그날 강의 종료 십여 분을 남기고 강사는 대략 이런 내용의 말을 교육생에게 전했다.

‘어차피 하루에 못할 내용이었다. 그러니 내일까지 이어서 첫 시간 한 시간만 내가 더 쓰겠다. 내일 오는 강사는 나와 친분이 있으니 내가 양해를 구하면 들어줄 것이다.’

강사의 이 말을 듣고 같은 강사로서 나는 어이가 없었다. 이런 말로 나는 A강사의 전문성에 걸맞지 않은 그의 저렴한 민낯을 보게 되었다. 강사 자신의 시간 조절 실패 혹은 교육 내용 편성 실패를 왜 내일 오는 새 강사와 교육생이 부담해야 하는지 이해하기 힘들었다. A강사는 강의 주관처 담당자와 사전 협의가 있었는지 나로서는 알 수 없다. 있다손 치더라도 삼십여 명 교육생에게 미리 양해를 구하지도 않았다. A강사는 자신의 전문성과 권위로 이 정도 양해는 충분히 구할 수 있지 않을까 판단했던 것 같다. 무례하기 짝이 없었다. 그날 강의 초반부터 지루하게 이어진 사담을 줄여도 그날 하루에 준비한 내용을 모두 소화할 수 있다고 나는 생각한다. 지나치게 많은 시간을 잡아먹었던 강사의 사사로운 이야기가 강의 주제를 전달하기 위해 꼭 필요한 내용이었다고 말하기도 힘들다. 내일 들어오는 강사도 자신이 이미 준비한 강의 시간

계획과 내용 분량이 있는데, 갑자기 한 시간을 빼라면 얼마나 황당할까. 경험 많은 A강사가 사람에 대한 배려가 겨우 이 정도 수준이었나 실망스러웠다. 오늘 강의 내용은 내가 아니면 누구도 할 수 없는 부분이라 책임감을 느끼고 내일 너 시간을 쓰겠다? A강사가 이렇게 생각했다면 오만함의 극치다.

일이 이렇게까지 벌어진 원인을 내가 짐작하면 이렇다. 그날 A강사의 사담에 유독 적극적이고 호의적인 반응을 해주는 몇몇 소수의 교육생이 있었다. A강사의 사담에 감탄사를 연발하거나 이런저런 표정을 지어 보이거나 맞장구를 치거나 등등. 그러다 보니 A강사가 기분이 들떴던 것 같다. 일종의 강사의 감정 오버(over)다. 경험 많은 A강사도 그것을 모를 리 없다. 무대와 마이크가 주는 '마약'에 잠시 정신을 놓아버린 경우다. 이미 일이 이렇게 되었으니 남아있는 내용은 교재로 대신한다고 '손절'하고 넘어갔어야 했다. 모두가 나의 강의에 만족할 것이라는 생각은 오만이다. 재밌고 유익한 사담이라도 호응하는 소수만큼 불편해하는 다수가 있기 마련이다. 교육생 소수의 호응으로 흥분하여 강의를 망친 사례로 나는 기억한다. 사실, 그날 강의 내용도 형편없었다.

Part 05

롱런의 길_
강사로서 오랫동안 살아남는 법

1. 베테랑 강사의 지속적인 강의 수주 방법

중장년 전직지원 교육 시장에서 수년 간 강사로 지내다 보니 강의 수주 방법에 관한 여러 노하우가 생긴다. 구슬이 서말이라도 꿰어야 보배다. 내가 아무리 좋은 콘텐츠를 가지고 있어도 강단에 설 기회가 없다면 무용지물이다. 필자의 경험상, 영업력이 통하지 않는 분야가 강의 업계다. 강사에게 강의는 하나의 상품인데 상품을 팔고자 하는 영업행위가 잘 통하지 않다는 말이 어색하게 들린다. 강의 수요기관을 향한 영업이나 인맥 소개를 통해 한두 번 강단에 설 수 있지만, 핵심은 같은 수요처에서 다음에도 강의 의뢰를 내게 하느냐 마느냐가 관건이다. 이것은 온전히 수요처 교육

담당자의 몫이다. 어느 중소기업 사무실에서 점심으로 짜장면을 배달받아 먹기로 했다면, 중국집 입장에서 핵심 인물은 음식값을 지불하는 중소기업 사장이 아닌 음식 주문을 하는 그 중소기업 사무실 말단 직원이다. 그 말단 직원이 전화든 배달 애플리케이션을 통해서든 주문한다. 어느 수요처에서 섭외받아 강의한다면 그날 강의실에 참관한 수요기관 실무자에게 잘 보일 수 있도록 최선을 다해야 한다. 다음에도 그곳에서 나를 불러줄 사람은 해당 기관 부서장이나 기관장이 아니다. 그날 내 강의에 참관한 강의 진행 담당자가 핵심 인물이다. 같은 강의 수요처에서 다음에도 나를 불러준다면 '아, 그때 나의 강의가 그런대로 괜찮았구나'라고 판단해도 무방하다. 일회성 강의가 아님에도 추후 같은 기관으로부터 부름을 받지 못하면 내 강의의 내용과 품질을 스스로 재고해 보아야 한다.

강사는 강의 수요처로부터 혹은 내 강의를 들었던 교육생으로부터 강의 내용과 관련한 만족도 결과에 관하여 직접적인 피드백을 받기 어렵다. 누가 일부러 강의 종료 후 이런저런 점을 개선해달라 등을 강사에게 말하지 않는다. 그들은 그저 무기명 강의 평가서에 야속하게 기록을 남길 뿐이다. 평가서를 점검하는 강의 주관자 역시 강사 심기를 살펴 나쁜 피드백은 굳이 말해주지 않는다. "강사님, 강의평가표 설문지를 보니 오늘 강의에서 수강생으로부터 이런저런 나쁜 피드백이 있었어요. 다음에 그런 점을 개선해 주세요."라고 솔직히 피드백해 주는 수요처 진행 담당자는 현장에선 거의 없다. 수요처 측면에서 그날 강의 평가가 좋지 않게 나왔다면 다음에 그 강사를 안 부르면 그만이다. 강사 측면에서 이런 경우라면 수학 문제 풀 때 해답지 없이 내가 푸는 문제의 답이 맞는지 틀리는지도 모르는 채 문제를 푸는 것처럼 개선의 여지가 없는 답답한 상황이다.

강사 업계에는 원스트라이크 아웃 규정이 존재한다. 한 번 강의를 망치면 강사에게 그 수요기관에서의 다음은 없다. 누구나 시행착오의 과정이 있을진대, 이는 강사에게 매우 가혹한 현실이다. '처음부터 잘하는 사람이 어딨다고, 그래도 몇 번 기회를 주어야 할 터인데'라고 생각하지만, 이는 강사 자신의 바람일 뿐이다. 나를 대신할 강사는 도처에 널렸다. 이런 이유로 발전하는 강사는 강의 후 강의 주관 진행자에게 수강생의 강의 평가서에서 본인이 꼭 알아야 할 강의 평가 내용을 피드백해 달라고 부탁한다. 물론, 귀찮아서 혹은 강사에게 실례가 될까 우려하여 피드백을 대체로 잘 안 해준다. 하더라도 강사의 심기가 불편할 내용은 제외하고 좋은 평가 내용만 알려주는 경우가 일반적이다. 강사로서 매년 수입이 정체거나 줄어든다면 그 순간이 곧 경고의 시간이자 상품으로서 내 강의의 품질을 재고해야 하는 순간이다. 이런 경우 내가 하는 주제와 관련한 다른 강사의 강의를 찾아서 타산지석 삼아 들어보는 것도 좋다. 기회도 많지 않고, 막상 기회가 왔을 때 제대로 살리지 못하면 다음을 기약할 수 없는 이런 현실이 강사의 숙명이다.

또 하나, 강의 수요처에 신뢰를 쌓는 것도 강의 수주를 위한 밑거름이다. 필자의 사례를 하나 소개한다. 모 공공기관에서 강의가 아닌 구직자 서류 심사관 혹은 면접 심사관으로 초빙받은 적이 있다. 공공기관이라면 보통 이런 과업은 시간당 수당이 강의에 비해 상대적으로 적게 책정되어 있다. 시간이 돈인 강사에게 긴 시간을 써야 하고 보수도 적은 이런 일을 맡으면 수요처에서도 강사(전문가)에게 일말의 부채감을 느낀다. 당장 돈이 안 되도 이런 기회가 있을 때 강사는 최선을 다해야 한다. 관련 주제로 기고문을 써달라는 경우도 마찬가지다. 원고료는 턱없이 적다. 그럼에도 그 과업으로 수요처 담당자를 만족시켰을 때 훗날 그곳에서 강의 수요가 있을 때 이런 선례가 있다면 보은의 의미로 내가 불려 나갈 확률이 높아진다. 실제로 이 건 이후 필자는 해당 기관에서 6개월간 약 80시간의 교육 프로그램을 혼자 맡아 강의한 적이 있다. 일단 이렇게 강의로 이어지면, 담당자는 강사에게 진 부채감을 채워주려 강의 시간을 더 잡아주거나 강사비 관련하여 본인 선에서 할 수 있는 최대한의 배려를 해주게 마련이다. 서로 신뢰감이 쌓인다. 이런 일들이 한 해 두 해 쌓이면서 강의 의뢰가 많아지고 일정 소화를 위해 비행기 타고 전국을 다녀야 하는 행복한 강사가 되는 경우도 맞이하게 된다. 유명 강사가 되기까지 누구든 단계가 있는 법이다. 투자의 귀재인 누가 그랬다. 부자가 되기 위한 핵심 요소는 타이밍이 아니라 공들인 시간이라고. 시점을 잘 잡아서, 혹은 운이 좋아서 강단에 몇 번 설 수는 있지만, 결국 명강사로 나를 만드는 건 꾸준한 노력과 업계에서 머무는 시간이다. 1년 경험을 10년간 반복하는 강사가 아닌, 10년의 경험치를 통째로 가진 강사가 되어야 하는 이유다. 누적 시간과 경험이 자산인 강사가 어제와 다른 하루를 보내야 하는 이유가 여기에 있다.

누가 불러주어 강단에 서는 방법 외에도 본인이 직접 강의 수요처로 지원하는 방안도 있다. 이런 경우는 내가 필요로 해서 지원하니 을(乙)의 입장이 된다. 강사료 협상에서도 밀리고 다소 모양새도 빠진나. 그러거나 말거나 일단 기회를 잡아야 하는 초보 강사 측면에서는 시도해 볼 일이다. 대표적으로 몇몇 강사모집 수요처를 나열한다. (사)여성인력개발센터(www.vocation.or.kr)에 들어가서 열린마당 메뉴에 보면 '강사모집' 메뉴가 있다. 여성인력개발센터는 전국 조직이다. 전국 각지에 지역 센터가 있다. 여기에 나만의 콘텐츠로 강의 제안서를 올려두면 필요한 기관에서 연락받을 수 있다. 혹은 모집하는 강의 내용이 나와 맞는 내용이라면 직접 지원해 볼 수도 있다. 좋은 점은 연중 모집하고 언제든 나의 콘텐츠를 제안할 수 있다는 장점이 있다. 전국 조직이라 한 센터에서만 이름을 알리면 전국 각 지역 센터로 불림을 받는 행복한 날이 올지도 모른다.

또 다른 사이트 하나, 서울 수도권에서 중장년을 대상으로 강의한다면 서울시50플러스재단을 소개한다. 여기도 분기 혹은 반기마다 중장년에게 유용한 여러 강의를 개설한다. 이런 강의를 누가 하겠는가. 지원하는 사람 몫이다. 내가 만일 중장년에 유용한 강의 커리큘럼을 가지고 있다면 도전해볼 만하다. 나의 역량에 따라 일회성 특강으로 지원할 수도 있고 3개월 6개월짜리 긴 시간 프로그램으로 지원할 수 있다. 매년 초 혹은 상하반기 나누어 수시로 모집하니 해당 홈페이지를 때때로 확인해 보면 된다.

청년층 혹은 중장년층 취업 진로 관련 강의에 자신 있다면 고용노동부에서 상시로 하는 특강 혹은 정규 프로그램 강사로 지원해 볼 수 있다. 단, 고용노동부에서는 업무 편의상 개인 강사와 계약하지 않는다. 매년 입찰공고를 통해 교육 관련 민간 중개 업체(agency)가 끼어있다. 매년 해당 업체가 바뀌니 올해는 어떤 업체가 고용노동부 교육 강의를 맡는지 확인 후 그 회사에 강사로 지원해 볼 수 있다. 해당 강의 담당자를 찾아 물어보면 어느 민간업체가 주관하는지 쉽게 알 수 있다. 장점은 연간 강의 횟수가 보장되는 점이 있지만, 강사료는 중개업체와 나누어 가지는 단점도 있다.

이외에도 매년 초 여러 기관에서 위촉 강사를 모집한다. 매년 상황은 조금 다르지만, 작년 재작년 같으면 공무원연금공단이나 국방전직교육원 혹은 국민연금관리공단 등 유수의 기관에서 1년 계약으로 위촉 강사를 모집하기도 한다. 최근에는 위촉직 강사보다 교육업체에 통으로 위탁하기도 한다. 이러하니 강사 자리를 얻으려 해도 실시간 정보가 핵심이다. 강사 관련 단체 채팅방이나 SNS 밴드나 온라인 카페 등을 통해 수시로 강사모집 정보를 얻고자 부지런히 움직여야 한다. 아무도 내게 떡을 입 앞까지 가져다주는 사람은 없다.

2. 안 불러주면 어떡하지? : 독자생존을 위해 해야 할 것

» 블로그 & 유튜브

죽기 전에 꼭 봐야 할 영화 리스트나 추천 베스트 영화 중 빠지지 않는 영화 [트루먼쇼], 이 영화에서 가장 상징적인 장면을 하나 꼽으라면 필자는 이 장면을 꼽는다. 영화 종반부에 나오는 장면이다. 당시 최고 시청률을 기록하던 TV 관찰예능 프로그램인 '트루먼쇼'가 이제 대단원의 막을 내린다. 아파트인지 상업용 빌딩인지, 보안 경비실 같은 어두침침한 공간에서 두 명의 경비원이 키득거리며 트루먼쇼 마지막 회를 보고 있다. 이번이 마지막 방송이라는 점을 이들도 알고 있다. 마침내 끝날 시간이 되어 엔딩 자막이 올라간다. 그때까지도 히죽거리고 등받이에 등을 푹 기대어 트루먼쇼를 재미있게 보던 보안요원 두 명 중 한 명이 상체를 일으키며 동료에게 곧바로 'TV리모컨 어딨냐?'며 채널을 돌리려 한다. 한 치의 망설임도 없다. 별것 아닌 장면 같지만, 필자는 이 부분이 감독이 대중에게 말하고자 하는 주제를 담은 핵심 장면이라고 생각한다. 대중에게 그렇게 어필했던 프로그램이나 콘텐츠도 막이 내리면 TV 채널 돌리듯 사람들에게 곧 잊힌다. 전 국민을 상대로 원하지 않게 사생활이 까발려진 주인공(짐 캐리)의 상처는 시청자의 관심 대상이 전혀 아니다. 콘텐츠는 그저 소비되면 그만이다. 만든 사람의 노고와 열정 혹은 콘텐츠를 만드는 동안 가졌을 저작자나 주인공의 고뇌 따위는 깡그리 무시된다.

자신의 콘텐츠와 강의력으로 먹고사는 강사도 마찬가지다. 박찬욱 감독의 영화제목 [헤어질 결심]처럼 강사도 콘텐츠 소비자와 언제든 '헤어질 시간'에 대하여 미리 대비해야 한다. 나의 콘텐츠가 한때 타이밍이 좋아서 마른 낙엽에 불붙듯 불꽃이 활활 튀더라도 강사는 자만하면 안 된다. 그렇게 인기가 있지만, 트루먼쇼처럼 한 방에 훅하고 가는 게 강사라는 직업이다. 가늘어도 오랫동안 불씨가 꺼지지 않도록 두툼한 마른 장작을 평소에 준비해야 한다. 그런 마른 장작 역할을 하는 도구가 앞서 언급한 퍼스널 브랜딩(personal branding)이다. 지금 시대에 퍼스널 브랜딩은 주로 SNS를 통해 이루어진다. 블로그나 유튜브 혹은 인스타그램이나 여타 자신의 브랜드를 외부로 알릴 특화된 자신만의 도구(channel)를 가져야 한다. 초보 강사이며 마땅한 퍼스널 브랜딩을 아직 구축하고 있지 않다면, 강사료에서 수수료를 많이 떼어가는 단점이 있지만, 에이전시(Agency)라 부르는 강의 대행업체나 교육회사에 소속하는 것도 방법이다. 잡코리아나 사람인 같은 포털사이트를 즐겨찾기 해두고 '강사'라고 검색창에 입력하면 민간 강의 대행사(에이전시)에서 강사 풀 모집 공고를 간혹 볼 수 있다. 주로 연말 연초에 모집 공고가 나오곤 한다. 경륜이 쌓이고 자신의 몸값이 올라가면 에이전시에 주는 수수료가 아까워서라도 자연스레 혼자 나와서 독립하게 된다.

강사에게 퍼스널 브랜딩에 유용한 도구는 단연 블로그다. 유튜브와 연동하여 같이 운영하면 가장 좋겠지만, 여러 여건상 하나만 고르라면 그래도 블로그부터 잘 구축해 보시라 필자는 권한다. 블로그는 강사에게 이른바 '본진(本陣)'이다. 본진이 잘 구축되어 있어야 확장성도 생긴다. 유튜브가 대세지만, 영상 콘텐츠 발행을 위해 기획부터 촬영 편집까지 손이 너무 많이 간다. 블로그가 그 점에서 접근이 쉽다. 쉬운 것부터 제대로 갖춘 후 유튜브를 개설해서 연동하면 좋다. 가장 안 좋은 것은 두 개 모두 어설프게 운영하는 것이다. 시간과 노력이 제한되어 있다면 어설픈 두 채널 운영보다 제대로 된 한 채널 운영이 퍼스널 브랜딩 강화 측면에서 훨씬 유용하다. 필자도 '인생다모작연구소'라는 네이버 블로그를 통해서 강의 수요처로부터 연락받는다. 이 강사가 어떤 사람이며 강의 커리큘럼은 어떤지 등을 검색할 때 동영상 유튜브보다 빠르게 스크롤 하며 검색할 수 있다. 정보 탐색을 위해서 영상은 계속 보고 있어야 하는 불편함이 있지만, 텍스트와 사진 기반 블로그는 강의 수요처 담당자 측면에서 더 쉽고 빠르게 강사에 관한 정보 파악에 이점이 있다.

블로그에 포스팅된 내용이 대체로 상업적 광고 일색이라 블로그가 검색 수단으로써 신뢰도가 점점 떨어지고 있음을 느낀다. 필자인 나조차 무언가 검색할 때 블로그보다 유튜브를 먼저 연다. 필자의 블로그도 조회수가 해마다 줄어들지만, 블로그를 통해 연락한다고 밝힌 강의 수요처의 강의 의뢰 건

수는 줄지 않았다. 블로그 조회수에 연연하지 말고 나를 알리는 도구로써 활용한다는 생각으로 강사로서 꾸준히 자신의 이미지나 경력을 증빙할 레퍼런스(reference)를 블로그를 통해 쌓아가길 권한다. 무엇이든 기록이 쌓이면 그 힘의 위력을 느낄 때가 온다. 유튜브도 조만간 개설한다고 염두에 두시고.

퍼스널 브랜딩을 목적으로 블로그를 운영한다면 글을 올릴 때 한 가지 유념할 사항이 있다. 불특정 다수를 대상으로 글을 쓰지 말고 특정 소수, 즉 나를 불러줄 가능성이 있는 강의 수요처 담당자를 대상으로 그 목적에 맞게 글을 써야 한다. 사무실 밀집 지역의 배달 중국집이라면 타깃은 각 사무실에서 음식 배달이 필요할 때 중국집으로 전화를 거는 사람이다. 주로 사무실의 말단 직원일 가능성이 높다. 배달 가면 '여기에 음식 놓아주세요'라고 말하는 사람, 즉 서무나 경리직 여자 직원일 수 있고 사무실에서 마당쇠 역할을 하는 신입 남자 직원일 수도 있다. 배달원이나 중국집 사장은 음식값을 지불하는 사장보다 주문을 직접 하는 그 사람에게 전단을 주거나 작은 판촉물이라도 챙겨줘야 한다. 이런 이유로 퍼스널 브랜딩을 위한 블로그 글은 단순 정보를 전달하려거나 일기장처럼 기록을 남기려는 의도로 쓰면 안 된다. 강의 수요처 담당자를 유혹할 수 있는 글쓰기를 해야 한다. 어느 수요처에서 이런 내용으로 강의했고 수강생 만족도가 어떠하였다. 혹은 강의 때 분위기나 모습을 볼 수 있는 여러 장의 사진도 첨부한다. 이렇게 쓰면 조회수가 별로 안 나오는 것이 정상이다. 일반 불특정 다수의 대중이 이런 내용의 글에 관심이 있을 리 없다. 블로그 조회수에 연연하지 말자. 블로그 조회수가 늘면 애드포스트니 애드센스니 광고비가 상대적으로 약간 더 붙지만, 결국 푼돈이다. 블로그 광고비는 유튜브 광고비에 비할 바가 아니다. 조회수 늘리려 타깃을 넓히려 했다간 자칫 소탐대실 할 수 있다. 힘들어도 꾸준히 관련한 포스팅을 쌓아보자. 오랜 기간 양질의 정보가 쌓이면 나의 퍼스널 브랜딩도 자연스레 그에 따라 두툼해진다.

» 전자책 & 종이책

강사의 퍼스널 브랜딩 강화 수단으로 책 출간이 유용하다는 말은 사족이다. 초보 강사 시절을 벗어나고 강의 경험이 쌓이면 강사들은 서서히 자신만의 콘텐츠가 생긴다. 비록 여기저기서 짜깁기한 내용이라도, 김정운 교수의 책 제목 [에디톨로지]처럼 나의 것으로 체화하고 잘 편집하면 그것이 곧 나만의 콘텐츠가 된다. 하늘 아래 진정 새로운 것은 없으니 나만의 유일무이한 콘텐츠가 없다고 실망할 일이 아니다. 이후에는 나의 콘텐츠를 강단에서뿐만 아니라 여러 수단을 동원하여 알리는 시기다. 종이책이든 전자책이든 책이 그 중심에 있다. 퍼스널 브랜딩 수단으로 책의 위상이 예전만 못하지만, 그래도 저서가 있는 강사와 없는 강사는 차이가 있다.

전자책이라면 우리가 기존에 아는 전자책 형식이 아니라도 무방하다. 요즘은 교보문고나 yes24 알라딘 같은 전통적인 책 판매 시장이 아니라도 크몽(kmong.com)이나 탈잉(taling.me) 혹은 네이버 스마트스토어 등 여러 온라인 재능마켓 플랫폼에서도 전자책을 절찬리에 판매한다. 재능마켓에 파는 전자책은 엄밀히 말하면 전자책이 아닌 PDF로 변환한 전자문서다. 한글 프로그램으로 만든 문서를 단순히 PDF 방식으로 변환한 파일을 이곳에서 전자책이라고 부른다. 전자책이 아닌 전자문서니 ISBN같은 책 출간에 필요한 전통적인 절차나 과정은 필요하지 않다. 재능마켓 같은 온라인 플랫폼에서 나의 노하우를 문서로 담아 판매하다가 판매가 잘 되거나 욕심이 생기면 그때 ISBN을 발급받고 교보문고나 yes24같은 전통적인 온라인 책 판매 사이트에 등록해서 작가가 될 수 있다. 부크크(www.bookk.co.kr)나 유페이퍼(www.upaper.net) 같은 자가출판 플랫폼 사이트나 교보퍼플 같은 책 주문자 생산방식(POD) 사이트에서는 내가 만든 허접한 전자문서에도 ISBN을 무료 또는 소액의 수수료를 받고 발급해준다. POD 출간은 Publish on Demand의 약자로 말 그대로 주문이 들어온 후 책을 생산하는 방식이다. 재고 부담이 없이 온라인몰에 책을 등재할 수 있다. ISBN을 발급받고 일정한 책 디자인 요소를 충족하면 위 언급한 사이트에서 책 판매 사이트에 등록을 해준다. 이른바 나도 온라인에서 검색되는 작가가 된다.

참고로, 책 판매 수익을 언급하자면 이렇다. 종이책은 베스트셀러가 되지 못한다면 저자로서 인세 수익은 기대하지 않는 것이 좋다. 저자의 인세는 대략 8~10% 정도다. 저자가 돈을 낸 자비출간의 경우는 인세가 훨씬 높지만, 자비출간 자체를 필자는 그리 권하지 않는다. 말이 자비출간이지 그냥 원고를 돈 주고 인쇄소에 맡기는 출력 과정이라고 평가절하하고 싶다. 돈만 있으면 얼마든지 자비출판이 가능하지만, 내 책의 상품 가치를 독자에게 어필하도록 잘 만들어야 한다. 이른바 편집자를 잘 만나야한다. 이건 운의 영역이다.

무릇 종이책은 전문 편집자의 손을 거쳐서 책이라는 상품으로써 가치가 있어야 한다고 생각한다. 반(半)자비출간이라는 형태도 있다. 말대로 출판사와 저자 간 5:5 정도 공동부담하는 경우다. 굳이 이렇게까지 해서 책을 출간할 이유가 있을지 모르겠다. 책 몇 권 출간해 본 필자의 경험으로 종이책 판매 인세는 그냥 없다고 생각하면 마음 편하다. 제대로 된 출판사가 아니라면 종이책 판매 후 인세를 따박따박 챙겨주는 출판사가 있을지 의문이다. 인세 청구를 위해 출판사와 연락하면 이미 망하고 없어진 출판사가 부지기수다. 그만큼 출판업계가 불황이다.

반면 재능마켓 판매용 PDF 전자책은 저자에게 가는 수익율이 매우 높다. 재능마켓 크몽의 경우 판매가의 80%가 저자 몫이다. 판매 시 수수료 20%를 떼고 판매금액의 80%를 저자가 가져간다. 크몽의 경우 전자책 판매 후 1주일 후에 자신의 계좌로 책값의 80% 금액이 입금된다. 적정 수량이 판매되면 금전적인 면에서 종이책과 비교할 수 없는 금액의 이득을 볼 수 있다. 그럼에도 책 팔아서 돈을 벌기보다 책 출간은 강사로서 퍼스널 브랜딩 도구다. 책 판매 인세로 버는 돈은 덤이라고 생각하자. 책 출간 저자이자 강사라는 퍼스널 브랜딩 강화를 통해 얻는 다른 수익이 훨씬 크다.

전자책이든 종이책이든 출간에 따르는 진입장벽이 낮아지면서 책 출간 수는 늘었지만, 책의 질적 수준은 다소 저하한 것 같은 개인적인 생각이 든다. 그래서 요즘 출판시장이 힘든 것일까. 출판시장이 위축된 것에 다양한 원인이 있다. 출간 진입장벽이 낮아지면서 책 내용의 질이 많이 떨어진 것도 한가지 요인이 아닐까 조심스레 판단한다. 그런대로 책 좀 읽은 필자도 요즘 딱히 구매해서 읽어보고 싶은 양서를 찾기 힘들다. 서점가의 베스트셀러 목록 중에서도 출간한 지 오래된 책들이 역주행하며 시대를 거슬러 상위권 순위에 오르는 경우가 잦다. 그만큼 요즘 신간의 질이 높지 않다는 방증이다. 책 내용의 질 저하에 필자도 부끄럽지만, 한몫(?)했다. 반성한다. 그간 퍼스널 브랜딩 강화랍시고 나도 쓰레기 같은 책들을 여러 권 출간했으니 노상 방뇨와 별반 다를 게 무엇이랴.

책의 위상이 많이 위축되었지만, 전자책이든 종이책이든 출간이 분명 개인의 브랜딩 강화에 유용한 도구라는 사실은 틀림없다. 굳이 책을 쓰고 출간하기로 마음먹었다면, 한 권을 쓰더라도 제대로 내용과 구성을 갖춘, 책 같은 책을 내라고 조언하고 싶다. 필자도 그간 세 권의 종이책 출간과 온라인 재능마켓 판매 용도로 네 편의 전자책을 썼다. 출간 저자로 이름도 올렸고 내 이름과 나의 책이 여기저기서 검색도 잘된다. 하지만 지금은 다소 후회스럽다. 책 내용이 내가 지금 봐도 너무 허접하기 때문이다. 마케팅 홍보가 부족한 탓도 있지만, 합쳐서 나의 일곱 권의 책은 단 한 번도 독자의 주목을 받지 못했다. 무릇 콘텐츠란 스스로 홍보하는 효과가 있는 법이다. 괜찮은 내용이었다면 어떻게든 입소문이 나게 마련이다. 어렵사리 내 책을 누군가가 보고 '이 사람 책 내용 보니 기대한 것만큼 아니구나, 실망이다'는 생각이 든다면 오히려 퍼스널 브랜딩에 마이너스다. 그러니 책으로써 나의 브랜드 가치를 높이고자 한다면 더디 가도 더욱 신경 써서 질적 수준을 올려 출간할 것을 권한다. 별반 가치 없는 책 여러 권보다 똘똘한 한 권이 저자 측면에서 훨씬 효자다. 이점을 필자는 책 일곱 권을 쓴 후에야 알았다.

PDF전자책 판매 핵심 요소

1. 돈 주고 살만한 것? (내용의 충실성).
: 전자책 아닌 PDF문서(내용의 품질 우선 고려)

2. 누가 썼느냐 (퍼스널 브랜딩).

3. F+A < B
썸네일과 책제목에 책 특징(Feature)과 장점(Advantage) 언급보다 구매자 이익(Benefit) 우선 노출. (카피 문구 중요)

참고로 추가 언급한다. 책 출간 방법에 관하여.

책 쓰는 법이나 책 출간법 관련 정보는 서점가나 인터넷에 널렸으므로 구체적 언급은 하지 않는다. 다만, 강사로서 책을 출간하는 가장 효율적인 방법을 하나 소개한다. 공공기관에서 주로 강의하는 강사는 매년 12월 말부터 2월까지 이른바 강의 비수기다. 공공기관들은 작년에 쓴 보조금을 정산하고 당해 예산을 받기 위한 준비기간이라서 그렇다. 공공의 강의 수요처는 이 시기가 한 해 사업계획과 예산을 상부로부터 승인받는 기간이기도 하다. 이 시기에 강의가 뜸하다고 강사는 넋 놓고 있지 말자. 이 공백 기간이 자신의 콘텐츠를 업그레이드할 기회다. 책 집필도 이때 집중하면 좋겠다. 경험상 책 집필은 오랜 시간을 끌면 비효율적이다. 일필휘지로 짧은 기간에 밀도 있게 초고를 완성하길 권한다. 연말 연초에 다른 외부 강의 일정이 많이 없는 강사라면 책 집필에 한 달 정도만 투자하면 어떨까. 사람마다 다르겠지만 한 달이면 한글 프로그램 글자 크기 11pt로 100장 정도 쓸 수 있다. 200자 원고지 기준으로 치면 800~1,000매 정도다. 집필 기간 한 달을 언급하는 이유가 있다. 매년 2월경 한국출판문화산업진흥원(이하 진흥원)에서 우수출판물 제작 지원사업을 한다. 2023년 기준으로 140편에 걸쳐 한 편당 시상금이 900만 원이다. 매년 비슷하다. 저자 자격으로 신청해도 되고 출판사를 끼고 신청해도 된다. 출간을 위해 내가 쓴 원고를 출판사에 투고할 때도 이 사업 시점을 노려야 한다. 진흥원에서 출간 지원사업 시점을 고려하여 각 출판사에서는 지원사업에 신청해서 당선될 만한 원고를 찾곤 한다. 그러니 출간을 염두에 둔 강사라면 보통 1월 중에 초고를 완성하고 출판사 이메일 리스트를 수집해서 자신의 원고를 투고하면 내 원고의 품질에 따라 출판사가 나를 선택할 가능성이 커진다. 출간기획서와 샘플 원고만으로 응모가 가능하니 행여 당선되어 지원금을 받으면 대게 그해 11월말까지 출간을 완료하면 된다. 초고가 허접해도 충분한 퇴고 시간이 있으니 염려할 일은 아니다.

지원금 없이 출판사 비용만으로 출간하는 투고 후 기획출간은 요즘 힘든 출판시장에서 유명 저자가 아니고서는 기대하기 힘들다. 그렇다고 내 돈 들이는 자가 출판은 그다지 권하지 않는다. 집안 서가에 장식용으로 꼽아두기만 할 자서전 출간이 아니라면. 모든 일이 이렇듯 때가 있는 법이다. 참고로 경기콘텐츠진흥원이라는 기관에서도 비슷한 출간지원 사업을 매년 3월경 한다. 지원 편수와 금액은 언급한 진흥원과 비교할 수준은 아니지만, 경기도 소재 출판사와 인연이 있다면 참고할 만하다. 2023년 올해 경기콘텐츠진흥원의 출판지원 사업 편수는 20편에 편당 500만 원을 지원한다. 단지 개인 자격 신청은 안 되고 경기도에 소재한 출판사를 통해서 지원해야 한다. 필자도 운 좋게 2018년에 이 사업에 출판사와 협업하여 응모해서 선정된 바 있다. 그때 나온 책이 [블론세이브]라는 소설집이다. 무명 강사가 이런 방식으로 저자도 되고 작가도 된다.

» 온라인 재능마켓_상품 & 온라인 클래스 (VOD) 런칭

얼마 전 흥미 있게 읽었던 책이 있다. 저자 복주환의 [생각정리기획력]이라는 책이다. 생각 정리 기획력처럼 단어가 따로 분리된 개념이 아닌 '생각정리기획력'이라고 붙여서 제목을 사용한 점에 눈길이 간다. 세 단어를 별개의 개념으로 설명하기보다 하나의 명사로 통칭하여 이야기를 풀어나간다. 이로써 생각정리기획력은 강사이자 저자인 복주환 님의 자체 브랜드며 상품이 된다. 책을 쓰기 전에 이분은 젊은 강사였다. 경험이 부족한 젊은 초보 강사가 자신의 강의 경력을 쌓아가는 도전적인 과정이 흥미롭다. 아무도 자신을 불러주지 않았던 초보 시절, 그는 영업력을 발휘해서 여기저기 발품을 팔았다. 그의 발품이 통했던 이유는 그만의 강의기획서 작성법과 그것을 강의 수요처 담당자에게 짧고 굵게 설명하는 능력이었다. (구체적인 내용은 해당 책을 참고하시라) 백화점 문화센터나 교육 에이전시 등에 자신이 만든 한 장짜리 본인의 강의기획서를 들고 '무대뽀'로 찾아간다. 결국 강의 수요처 담당자의 마음을 사로잡아 강의 수주에 성공하는 이야기다.

누구나 복주환 님처럼 할 수는 없다. 그만의 상황적 특수성이 있기 마련이다. 어느 강사라고 모두 도전적 영업력과 탁월한 기획력을 갖출 수 있겠는가. 누구에게나 적용할 수 있는 일반적 사례는 아니다. 그럼에도 불구하고 평범한 우리도 그를 따라 할 방법이 하나 있다. 그것은 바로 온라인 재능마켓 플랫폼 접근이다. 그는 직접 발로 뛰는 영업도 했지만, 또 다른 방안으로 '온오프믹스(www.onoffmix.com)'라는 모임문화 온라인 플랫폼을 적극 활용했다. 이 사이트에 자신의 콘텐츠인 생각정리기획력이라는 무료 혹은 무료에 가까운 금액으로 강의를 올려두고 자신의 콘텐츠를 스스로 시험대에 올렸다. 처음에는 역시 사람들이 관심을 안 보였다. 거의 무료에 가까운 강의지만, 한두 명의 참여자만 모일 때도 있었다고 한다. 어쨌든 이런 과정을 거쳐 서서히 그의 콘텐츠가 알려지고 무료 강의에서 만족한 수강생이 비싼 유료 강의를 신청하는 결과로 이어졌다. 이런 중간 과정을 거쳐 그는 지금은 전국으로 불려 다니는 유명 강사가 되었다.

이것이 온라인 플랫폼의 힘이다. 온오프믹스라는 사이트 말고도 앞서 언급한 크몽이나 클래스유 혹은 네이버 스마트스토어(smartstore.naver.com) 같은 여타 재능마켓 플랫폼에도 각종 유료 강의 VOD 상품을 얼마든지 등재할 수 있다. 판매 가격 책정을 본인이 할 수 있으니 처음에 저렴한 가격으로 진입해서 복주환 님처럼 나의 콘텐츠가 알려지면 그때 서서히 가격을 올려도 된다. 온라인 재능마켓 접근은 수익성보다 자신의 콘텐츠를 알리는 퍼스널 브랜딩의 도구로써 유용하다. 온라인 어딘가에 자신이 검색되어야 한다.

온라인 상품에서 상세페이지가 중요한 이유

"등재된 상품(경쟁자)이 너무 많습니다."

- 고객은 등재된 상품을 순서대로 보지 않는다.
  키워드로 검색한다. (제목 중요)
- 고객은 기본적으로 마우스 스크롤을 싫어한다.
- 내용 부실한 불성실한 상세페이지는 누가 봐도 한눈에 알 수 있다. 외면.
- BEAF 혹은 AIDMA 기법에 의해
  어떤 메리트(B)가 있는지 주의(A)와 관심(I)을 먼저 끌어야 한다. (호객?)

온라인 재능마켓 플랫폼 사이트에 나의 콘텐츠를 담은 상품을 등재할 때 요령이 필요하다. 위에 제시한 장표 내용처럼 온라인에서 소비자로부터 선택을 받으려면 선택을 받을만한 형식을 갖추어야 한다. 온라인 마켓에 노출되는 상품이 너무 많기 때문이다. 내 상품의 품질은 그다음 문제다. 일단 클릭을 받지 못하면 허사다. 그래서 노출하는 제목이 매력적이어야 하고 상품을 알리는 상세페이지 작성도 나름의 기술이 필요하다. 선택받는 제목의 제1원칙은 핵심 키워드 선택이다. 소비자는 그 많은 온라인 상품을 올라와 있는 순서대로 보지 않는다. 자신에게 필요한 상품을 단어로 입력 후 나오는 것 중에서 하나를 고른다. 그러니 노출에 유리한 키워드를 제목으로 써야 한다. 블로그 포스팅할 때 제목이 중요한 것과 마찬가지다. 포털사이트 뉴스 기사 제목을 보고 내가 클릭했던 뉴스 제목이 왜 나의 관심을 끌었는지 생각해보면 대략의 답을 찾을 수 있다. 후킹(hooking)과 어그로(aggro)만 끈다고 한때 비난을 받을 수도 있다. 나의 상품이 고품질이라면 이는 충분히 만회가 가능하다.

일단 상품 제목이 매력적이라서 클릭을 받았다면 다음 관문은 내 상품의 특장점이나 혜택을 알리는 상세페이지다. 우리가 서점에서 책을 구매할 때 가장 유심히 보는 것이 제목과 목차다. 온라인 마켓에서 상품을 구매할 때도 역시 상품 제목과 목차에 해당하는 상세페이지가 핵심이다. 상세페이지는 노출하는 순서가 중요하다. 이 순서를 모르면 소비자는 금세 '다음'이나 '뒤로 가기' 버튼을 누른다. 보통 상품 상세페이지는 특징(Feature)과 장점(Advantage) 그리고 혜택(Benefit) 순서로, 흔히 말하는 FAB 순서로 노출하는데 이건 옛날 방식이다. 최근엔 FAB 순서를 바꾸어 BEAF 순서로 노출한다고 앞서 언급했다. 즉, 이 상품을 구매했을 때 얻을 수 있는 구매자 메리트(Benefit)를 먼저 노출해야 한다. 이후 이를 뒷받침하는 증거(Evidence)가 따르고 그 이후에나 제품 특징(F)과 장점(A) 순으로 노출한다. 즉, 이 제품은 '이런 특징과 장점이 있어요'보다 이 상품을 구매하면 '당신에게 이런 메리트(혜택)가 있어요'가 올바른 노출 순서다. 요약하면, 상세페이지에 들어갈 내용은 아래와 같다. 순서에 유의해서 작성해 보시길 권한다.

1) 제목 : 어떤 상품(콘텐츠)인지
2) 이 상품(강의, 전자책, 개인컨설팅 등)을 구매하면 내게 어떤 혜택이 있는가.(Benefit)
3) 이미 이 상품을 구매했던 고객의 구매 후기(Evidence)나 효과
4) 왜 이 상품이 필요한가 (판매 취지)
5) 대상은 누구인가, 누구를 위한 상품인가
6) 이 상품의 경쟁제품 대비 장점(Advantage)과 특징

(Feature) 혹은 차별성은 무엇인가

7) 판매자(강사)는 누구인가 (퍼스널 브랜드 강조)

8) 목차 및 진행 방법 소개 (상품 내용)

9) 어떻게 구매하는가

(구매 절차 및 방법, 구매 후 주의사항 등)

바야흐로 명함이 주는 뒷배경이 아닌 자신의 힘으로 살아가는 나력(裸力)의 시대다. 나이 들수록 경력으로써 스펙의 위력은 반감한다. 직장은 나를 영원히 보호하지도 않는다. 반면, 자신만의 콘텐츠를 가지고 그것을 전파할 수단이나 채널을 잘 활용하면 얼마든지 독립된 생활이 가능하다. 이 말은 몸담은 회사나 직장에 나의 귀중한 시간을 빼앗기지 않아도 된다는 말과 같다. 나의 시간을 남을 위해서가 아닌 온전히 나를 위한 시간으로 활용할 수 있다. 창밖으로 시원한 여름 바다가 보이는 제주에서 혹은 강원도 강릉 해안 도로변 경치 좋은 야외 카페의 테라스에 앉아 맛있는 커피 한잔과 함께 노트북 하나로 나의 밥벌이를 해결하는 멋진 삶을 상상해본다. 이 책을 읽은 여러분과 함께하길 바란다.

에필로그

라이프 해커 자청(자수성가 청년)이라는 필명을 쓰는 성공한 젊은 부자가 있다. 그 사람의 저서 [역행자]라는 책을 읽어볼까 하다가 그냥 덮고 말았다. 성공한 사람이 쓴 책을 읽고 그 사람처럼 똑같이 실천한다고 해도 내가 그처럼 성공하지 않는다는 사실을 이미 나는 잘 알고 있다. 그럼에도 그 책이 주는 한 줄 메시지는 와닿는다. 성공하려면 자의식을 해체해야 한다는 말, 언뜻 무슨 뜻인지 이해가 안 갈 수 있다. 자의식을 가지는 것은 일견 좋은 것인데 성공하려면 왜 그것을 벗어버리라고 하는 것인지. 지금 이 에필로그를 쓰면서 알게 되었다. 내가 지금 쓰는 이 책은 아마 현업 강사분들은 읽지 않을 것으로 나는 판단한다. 내가 아는 강사 대부분은 소위 '자의식 과잉'이랄까, 자신만의 프라이드가 매우 강하다. 그런 강사분들은 다른 강사로부터 좋은 점이라면 자존심따위 버리고 자신의 것으로 취하려거나, 나쁜 점은 타산지석 삼으려는 마음가짐이 다른 직업군에 비하여 다소 부족한 것 같았다. 이런 점이 자의식 과잉에서 비롯하는 것이 아닌지 모르겠다. 프리랜서 강사 혹은 1인기업으로 시작한 강사는 대체로 바닥에서 시작한 사람들이다. 자기 콘텐츠나 강의 방식에 대한 자존심이나 자의식이 강할 수밖에 없다. (자존심과 자의식의 차이를 잘 모르겠지만.)

세 명이 함께 길을 가면 분명 그중 나의 스승이 한 명이라도 있기 마련이다. (三人行必有我師) 누구에게나 배울 점이 있고 어떤 허접한 책이라도 적어도 한 줄 메시지 정도는 받아들일 만한 것이 있는 법이다. 시간 투자 대비 효율 문제일 뿐이다. 이 책을 출간하는 시점에서 우려하는 점이 있다. 앞서 언급한 대로 출판시장의 질 저하에 그간 아무렇게나 갈겨댄 노상방뇨자로서 필자인 나도 부정적으로 한몫을 해왔다. 하지만, 언제나 그렇듯이 지나간 과거는 언제나 최선이었다. 그저 하루하루 최선을 다해서 살아갈 뿐이다. 이 책도 누군가에겐 쓰레기가 될지언정, 또 누군가에게는 어디에서도 찾아볼 수 없는 비기(祕技)를 담은 귀중한 책이 될지도 모른다. 저자는 혹은 작가는 그 한 줄 실오라기 같은 가능성을 믿고 키보드를 두드리는 사람이다.

또 이렇게 한 권의 책을 남긴다. 짐승은 죽어서 가죽을 남기고 사람은 죽어서 이름을 남긴다지만, 나는 누추한 내 이름 석 자보다 책 팔아서 돈이나 좀 남기고 싶다. 오늘도 방구석에 홀로 숨어 집필 마지막 작업으로 키보드를 두드린다. 거실 소파에 앉아 커피 마시면서 태블릿으로 드라마를 보고 계신 이 집안 행안부 장관님께서 '저 인간 오늘도 밖에 안 나가려나?'며 내게 소리 없이 눈치를 준다. 이 나이에 중년 부부가 온전히 한 공간에 있는 것만으로 서로 고역이다. 올해는 이 책이 많이 팔려서 여기저기 밖으로 강의한다고 불려 다녔으면 좋겠다. 세상에서 제일 무서운 행정안전부 장관님과 한집안에서 최대한 함께하지 않을 그런 행복한 날을 기대해 본다.

2023년 말 맑은 하늘이 보이는 내 방 책상에서.

이진서.

끝.

누구나 강사
격이 다른 강사

전문강사도 몰래 꺼내 보는
강사 업력 향상 필독서

발행일	2024년 1월 20일
글쓴이	이진서
펴낸이	한건희
펴낸곳	주식회사 부크크
출판사등록	2014.07.15.(제2014-16호)
주 소	서울특별시 금천구 가산디지털1로 119 SK트윈타워 A동 305호
전 화	1670-8316
이메일	info@bookk.co.kr
가 격	20,800원
블로그	blog.naver.com/jislee1290(인생다모작연구소)

isbn 979-11-410-6766-3